人間・異文化・現代社会の探究 第2版
人類文化学ケースブック

The Case Book of Investigations into Humanities, Other Cultures, and Modernities
Second Edition

吉田竹也

人間社

はじめに

　本書は、大学初年度相当の講義テキストとして使用することを念頭に、人間とその文化を学ぶ上でのいくつかの基本的な知識や考え方についてまとめたものである。テキストといっても、高校までの教科書とは違い、ここに書かれているのは「正しい答え」ではなく、読者が自分なりに考えるためのヒントや指針、そして具体例である。副題に「ケースブック」（事例集の意）とあるのは、そのためである。

　私自身は、文化人類学の立場から、島嶼学や社会学にも目配りしつつ、インドネシアのバリ島や沖縄の宗教と観光について研究している。これをまとめたのが、本書の姉妹編といえる『神の島楽園バリ——文化人類学ケースブック』である。一方、本書では、そうした私の研究テーマにはほとんど触れず、専門である文化人類学にあまり偏らないように、哲学、社会学、言語学、歴史学、文学、その他、人間とその文化に関わるさまざまな学問領域の幅広い内容から主題を取捨選択した。また、専門的で細かな論点に深入りすることは避け、日本語文献で確認できる情報を基盤に、できるだけシンプルで明確な記述を心掛けた。そのこともあり、中には議論をやや単純化したり、結論部分だけを述べたりしたところもある。本書を、「人類文化学入門」あるいはむしろ「人文学入門」と受け取っていただければ幸いである。

　本書の議論は、①この「人類文化学」と呼ぶ学問の特徴と、そうした学問的関心の背景や広がりを明確にする第1章～第3章、②人間という生き物にとっての文化の特徴を明確にする第4章～第5章、③科学的で論理的な思考のレッスンを行う第6章～第8章、④異文化理解の考え方についてのレッスンを行う第9章～第11章、⑤現代社会の特徴の一端を明確にする第12章～第14章、というまとまりからなっており、これに締め括りの第15章を付している。できれば第1章から順に読み進めていただきたいが、関心のある章のまとまりから読みはじめていただいてもかま

わない。

　なお、各章に1箇所は読者への問いかけ（？を付した箇所）がある。そこでは立ち止まって、しばらく熟慮した上で、そのあとを読み進めていただければ、と思う。

　私は、大学で身につけるべきこととして、90分程度の間集中して話を聴く姿勢を修得すること、想像力と批判力をもって人や情報に向かい合うこと、があると考えている。それらは、社会の中でよりよく生きる支えになるはずである。では、講義で聴き取りのトレーニングをしてもらいながら、相方向的なやり取りを組み込んで想像力と批判力を養いつつ、ある程度の内容・レベルの知識や思考方法を伝えるためにはどうすべきか。私は、そのひとつの選択肢として、テキストを作成しそこに一定の内容を落とし込んで、学生の理解や予習・復習に役立ててもらう、という考えにいたった。これが、本書作成の背景である。

　参考文献は各章の末尾に付した。ただし、入門書という性格に鑑みて、これは最小限にとどめた。

　今回、第2版の刊行に際して、誤字・脱字の修正と記述や表現の補正を行い、事例や文献の一部を更新するとともに、第14章を改稿した。また、さらなる探究へと読者を誘うための足掛かりとして、新たにいくつかコラムを設けた。

　樹林舎の折井克比古さんには常々お世話をおかけしている。ていねいで真摯なご対応にあらためて深く感謝申し上げます。

目次

はじめに 2

第1章 人類文化学とは何か 7
column1◆若い男性の殺人率がもっとも高い？ 10

第2章 人類文化研究のアルケオロジー 17
column2◆赤信号みんなで渡れば怖くない？ 22

第3章 科学と反科学 33
column3◆儲かればそれでいいのか？——反科学の経済学と観光論 37

第4章 ホモ＝サピエンスと文化 41

第5章 歌う鳥と話すヒト 53
column4◆歌がうまい男性はかならず女性にもてるのか？ ... 61

第6章 情報をめぐる論理と倫理 63
column5◆軍事機密情報に隠蔽やウソはつきものである？ ... 75

第7章 因果論と少年犯罪 79
column6◆朝ごはんを食べても成績は上がらない？ 83

第8章 骨と銃弾と考古学 91

第 9 章 異文化とは何か ……………… 103
　　　column7◆フィールドワークに王道なし ……………… 99

第10章 文化相対主義のエッセンス ……………… 113
　　　column8◆さまざまな価値観を尊重することは
　　　　　　　論理的矛盾に陥る ……………… 123

第11章 異文化としてのセクシュアリティ ……………… 125
　　　column9◆同性婚をめぐる司法・立法・行政府 ……………… 130
　　　column10◆10週間体毛剃りをやめる女性／
　　　　　　　　体毛剃りをつづける男性という課題 ……………… 137

第12章 現代社会の複雑性とリスク ……………… 139

第13章 戦後日本の原子力／核 ……………… 149
　　　column11◆原発事故後の原発依存状態というアイロニー ……………… 155

第14章 環境と社会は持続可能か ……………… 163
　　　column12◆パーフィットの「非同一性問題」 ……………… 170

第15章 はじまりのおわり ……………… 179
　　　column13◆シャルリ・エブド襲撃事件 ……………… 183

索引 ……………… 189

第1章
人類文化学とは何か

切手の図案になったセンザンコウ（左）とハリネズミ（下）

　全体の導入に当たるこの章では、本書の副題にある「人類文化学」とは何かについて説明する。

未完の学問
　「人類文化学」という名前の学問は、現在存在しない。なお、「文化人類学」は学会もあり、すでに確立された学問としてある。文化人類学がどういう学問であるのかは、第2章で簡単に触れる（また拙論で説明している）が、人類文化学と文化人類学とを混同しないことが重要である。
　ある学問分野（ディシプリン）のあるなしは、学会の存在、それを自分の専門領域と名乗る研究者の存在、あるいは大学や大学院での専攻領域の存在、といった点が指標になる。人類文化学については、これを名乗る学会も研究者もなく、大学院で専門的に学ぶ場もない。
　では、人類文化学とは何なのか。ここでは、人間とその文化について総合的・包括的に論じる学問である、と考えることにしたい。こうした名称の学問は、いまは存在しない。しかし、ひょっとしたら、こうした名称の

学問がやがて育っていくかもしれない。本書の読者の中から、この名称に共感し自身の専門領域を人類文化学と名乗る研究者が何人も出て、メディアを通してこの名称が人口に膾炙し、あるいは流行語となって、さらに大学院にこの名称の専攻ができ、やがて賛同者がこの名称の学会をつくって……となれば、人類文化学はいわば実体化する。いずれにせよ、現状では、人類文化学は未完の学問である。しかし、哲学、言語学、文化人類学、考古学、文化史、社会学など、さまざまな学問を融合したものとして、そうした名称の学問を仮に、あるいは未来に向けて、設定することはできるだろう。ここでは、こうしたものとして人類文化学を捉えておきたい。

人間とその文化について総合的・包括的に論じる学問、といっても、読者にはまだピンと来ないのではないだろうか。それは、本書を読んだあとに振り返っていただければと思う。また、たとえば見田宗介や柄谷行人の著書などは、一方は社会学、一方は文芸評論が専門ではあるが、いずれも私がイメージする人類文化学のひとつの具体的なあり方を示したものである。島嶼を切り口にした好著として『地域の自立　シマの力』という本もある。幅広い視野と複数の観点を動員して人間と人間が生み出したもの（文化）を考えること、これが人類文化学であると考えていただければ、さしあたりは十分である。

人間と文化をおおきな視野の中で考えるという場合、ひとつ重要になるのは、人類文化の多様性に注目する視点と普遍性や共通性に注目する視点とを交差させることである。この多様性と普遍性への注目は、人間とその文化にアプローチする上での基本的なポイントである。その場合、人類文化の多様性については具体例を挙げるときりがない——たとえば、各言語とその方言、食文化、神の名など——ので、多様性については自明のこととみなして、以下では普遍性に注目する視点について、いくつか例を挙げて検討したい。

人類文化の普遍性

　国や地域の違い、民族の違い、そして時代をこえて、人間やその文化に

共通する、普遍的と考えられる特徴として何があるだろうか？

　まずは、先に多様性の例として挙げた点を違う視点からみることで、人類文化の普遍的な特徴が浮かび上がってくる。「神」というとやや限定的になるかもしれないが、人間の力能をこえたいわゆる超自然的・超越的な存在や力にたいする信仰は、およそあらゆる社会において観察される。受験の際のお守りも、そのひとつの例である。近代科学は、そうした超越的な存在への信仰を排した、合理的で一貫した世界観を提示したが、この近代科学の世界観を受け入れた現代社会においても、さまざまなかたちの宗教や宗教的なものは存在する。人間をこえた存在や力への信仰や依存は、人間の文化の多様性の中に看取される普遍的・一般的な特徴のひとつと考えてよい。それゆえ、19世紀に世界のさまざまな少数民族の調査研究が本格化したとき、宗教は重要なテーマになった。

　言語や食文化についても、知られているすべての人間集団が言語をもち、食文化をもつ、という点では、人類の普遍的特徴の例であると考えることができる。栄養摂取は、人類に限らず、生物一般がもつ普遍的で不可欠の活動ではある。ただ、他の動物はおおむねその栄養摂取のあり方が生まれもって決まっている。たとえば、ライオンの場合は狩りによる肉の摂取、というようにである。ところが、人間の場合は、ひとつの生物種の中で、何を食べるか、それをどのように獲得し、どのように調理するか、どういった道具やマナーで食べるかという、具体的な食文化のあり方が、社会によってきわめて多様であり、また時代によってもおおきく変わりうる。

　言語は、食文化とおなじく、やはり人間という生物の中できわめて多様であり、時代によっても変わりうる。食文化が栄養摂取という生物一般の生理的必要性を基盤とするとすれば、言語はおそらくコミュニケーションという生物にとっての社会的必要性を基盤とすると考えられる。ただし、他の生物には叫び声などの単純なコミュニケーション手段しかない。言語に相当する複雑で高度な伝達手段をもっているのは、現存する生物では、人間以外にない。この点で、言語は人間という生物の特徴や、人間の文化について考える上で、きわめて重要な論点を提供する。

言語と食文化の間には、個体による習得の点においてもおおきな違いがある。食文化については、ある人が大人になってからもある程度変更することが可能である――ただし、宗教上の理由からタブーとなっている点などは変えがたい――が、言語とくに母語（第一言語）については、大人になってから変更することは困難である。その人の思考や記憶が母語を基盤として確立しているためである。

　ここで注目すべき点がある。人間は言語を幼少期に習得するが、親や出自に関わりなく、どのような人でも特定の社会・文化的環境に生まれそこで育てば、そこでつかわれている言語を習得することができる、という点である。つまり、人間には生まれつきどんな言語でも母語として習得できる、生物学的といってよい能力が備わっているのであり、ただ、ある地域や時代に生まれ落ちそこで育つことによって母語として身につける言語が確定してしまうと、それ以降は別の言語を母語とすることができなくなるのである。地球上には多様な言語が存在するようにみえるが、習得能力という点に即してみれば、人間の言語はひとつなのだといってよい。このように、言語は人間文化の多様性と普遍性の両面を同時に教えてくれる。

　言語については、あらためて後述する（第5章）。以下では、もうすこし人類文化の普遍性について、別の切り口から考えていきたい。

column1　若い男性の殺人率がもっとも高い？

　自然人類学者の長谷川眞理子は、歴史上どの人間集団においても、女性より男性の殺人の方がおおく、殺人率はすべての年齢層で男性の方が高い、また年齢別の男性の殺人率は20代前半がピークになる、という。これは、人間の普遍的特徴なのだろうか。

　進化心理学では、殺人を個体間の葛藤解決の行動選択肢とみなす。短期的にみれば、相手を亡きものとするので葛藤はなくなり、その利益はおおきい。しかし、長期的にみれば、反社会的行為を犯したことによる損失もまたおおきいはずである。長谷川は、この短期と長期の利益と損失を個人がいかに査定するのかを、生物学的性差と性淘汰を

重視する観点から整理する。

　一般に、配偶者獲得をめぐる同性間の競争は、メスよりオスにおいてより強い。人間の場合もそうであり、この男性間の競争はかならずしも生殖の場面にとどまらない。男性は、女性に比べ、葛藤状況において目前のリスクを冒して短期的な利益をとろうとする傾向がある。競争が激しいと感じるならば、将来の利益より目前の利益の方が重要になる。また、性成熟直前から成熟期にかけての時期に男性間の競争はもっとも激しくなる。20代前半は、リスクはあっても勝ちに賭ける心理が強くなるピークなのである。

　ただし、この考察には反例も提示された。第二次世界大戦後の日本では、20代前半を中心とする若い男性の殺人率が減少したが、年長の男性の殺人率はあまり下がらず、殺人率の年齢分布が時代を追うごとに平坦に近づくようになったのである。社会状況の変化を背景に、若い男性が目前の葛藤において賭けに出なくなったのである。ただし、どの世代でも男性の殺人率は若いときに高いという点はある。

　現代日本では「草食系」男子が増えたといわれる。性の多様性は、今後さらに顕在化するであろう。そうした社会変化が、この生物学的性差にもとづく議論にいかに波及するのか、興味深いところである。

贈与・分類・世界観

　社会学者でもあり民族学者でもあったマルセル・モースは、人間のあらゆる社会には贈与、つまり、贈り物をしこれにお返しをするという習慣がある、と論じた。これも人類文化の普遍的特徴のひとつである。ものや労働・サービスのこうした相互的な贈与を、社会学や文化人類学では互酬性（reciprocity）と呼ぶ。われわれの社会にはさまざまな、ときには無駄や非合理的とも思われるような、贈与と返礼の慣行がある。それは、良し悪しは別にして、人類の普遍的な行為のあらわれである。利潤の追求やWin-Winのやり取りよりも、惜しみなく与えることが人間関係の本来の基盤のようである。

　贈与にはおおきく分けて2つのパターンがある。ひとつは、双方向的

な贈与のパターン——レヴィ＝ストロースがいう「限定交換」に相当する——であり、ある主体（人や集団）と別の主体との間で、たがいに贈与と返礼としての贈与とが交わされるというものである。たとえば、恋人や夫婦の間での贈り物の交換がそれに当たる。たがいに贈り合うことで、社会関係が維持されたり強化されたりするのである。もうひとつは、一方向的なパターン——レヴィ＝ストロースがいう「一般交換」に相当する——であり、ある主体が別の主体に贈与するが、後者は前者に返礼するのではなく、返礼を第3の主体に向けて行う、というものである。親が子に無償の贈与を行い、子は自身の子に無償の贈与を行う、という世代をこえた家族の贈与や、富める者が貧しき者にたいして行う慈善活動としての贈与においては、与え手はかならずしも直接の返礼を期待していない。めぐりめぐって自分にも何らかの恩恵——たとえば神という別次元からの祝福や、社会的な評価や名声など——があるという感覚が伴う場合もあるが、そうした感覚や意図が伴わない場合もある。そこにあるのは、次世代や他の主体に向けて贈与しつづけていくことで、社会関係が維持・強化される、あるいは社会そのもの家族そのものが存続していく、という構造である。後者の一方向的なパターンを含めた人間の贈与は、社会の根幹にあるメカニズムである。

　また、人類学者のエドマンド・リーチは、人間の特徴を「分類」という点にみた。たとえば、われわれは虹を7色からなるものとみなすが、ある民族は虹を3色からなるとみなし、別の民族は5色からなるものとみなす、というのは、文化人類学ではよく知られた事実である。これは、文化によって色彩認識が異なる、という多様性に関する議論となるが、ここでのポイントはそこにはない。3色であれ7色であれ、虹を何色かの色からなるものとしてみるという点は共通している、というのがポイントである。自然界における色のスペクトルは連続している。人間は、その連続体の中に切れ目を入れて、7色であるとか3色であるとかといったように分類ないし分節して認識可能なものとする。これも人間の普遍的な特徴のひとつである。この、本来連続しているものに切れ目を入れて分節したも

のが、具体的な文化として、多様な形態を取るのである。たとえば、色とおなじく音もまた本来は連続している。言語は、その音の連続体のどこかに切れ目を入れ、言語の構成要素として有意味な音（母音や子音）を設定している。この各言語において有意味な音の単位を、言語学では音素（phoneme）という※1。言語によって、どこに切れ目つまり差異が設定されてどの音が有意味になるかは異なる。構造言語学者のソシュールがいったように、言語が設定する差異は恣意的（任意）なものである。ただ、同時に、それはその言語の内的ルールであるという点では必然的・規範的なものである。たとえば、英語において有意味な［l］と［r］の差異は、日本語においては有意味でないので、日本語を母語とする人々はそれらを分節し認識・発声することに苦労する。

　匂いや味も、色や音とおなじように、文化による分節を受けており、その差異は恣意的（かつ規範的）なものである。ただし、色覚・聴覚・嗅覚・味覚には、人間という生物の器官が知覚できる範囲が自ずとある。たとえば、犬のような敏感な嗅覚や、コウモリのような超音波を知覚する能力は、人間にはない。ただ、人間は、時間や空間の認識も含め、自然界において本来は連続しているものに差異を導入し、分節し分類することによって、世界――自然界をこえた超自然的世界やこの世をこえた来世などをも含む――を認識しており、この点において異なる文化で共通するところもみられるのである。

　こうした世界を把握する具体的なあり方は、文化人類学における象徴・世界観研究に詳しい。この種の研究において、リーチ、ダグラス、山口昌男らは、こうした分類からはみ出るもの、両義的（あいまい）なもの、分類の境界――境界は、どっちでもありどっちともいえない両義的な性格を

※1　音素にたいし、客観的に設定しうる分析上の音の単位が音声／単音（phone）である。文化人類学では、音声的（phonetic）と音素的（phonemic）という語からエティック（etic）とイーミック／エミック（emic）という概念が形成された。エティックは個別文化の外側から客観的に文化を捉えようとする研究上の姿勢を指し、イーミックは個別文化の内的論理に即して文化を捉えようとする姿勢を指す。

もつ——に、とくに注目した。たとえば、世界のさまざまな文化において、化け物や魔といった存在は、夕暮れや真夜中に、また十字路や村のはずれといった場所に出る、とされることがおおい。夕暮れは昼と夜の境界であり、真夜中はある日と翌日との境界に相当する。十字路は2つの道が交わるところであり、村はずれはある村と別の村との、あるいは人間の領域と異界の領域との境である。ジブリ映画の中で、サツキがトトロと出会ったり、千尋の家族が異界に迷い込んだりしたのも、村境の場所であった。時間や空間の境界は危険とされる傾向がある。狐の嫁入り（晴れなのに雨）や月食・日食（明るいはずなのに暗い）も、そうした扱いを受けてきた。

　分類からはみ出た存在という点でよく知られているのが、アフリカのレレ族におけるセンザンコウである。センザンコウは、鱗に覆われている点で魚と似ているが、陸の動物であり樹にも登る。外見はトカゲに似ているが、哺乳類であり授乳する。そして、他の小型哺乳類とは異なり、人間のように（通常は）一度に1匹しか子を産まない。人間と出会っても他の動物のように逃げず、じっとうずくまるだけである。さまざまな点で、センザンコウは、レレ族の分類からはみ出た例外的な動物である。レレの人々は、こうした例外的な動物であるセンザンコウを忌み嫌うのではなく、逆に聖なる動物とみなし、聖なる力を得るための儀礼食材としてきた。なお、同様の聖なる動物として、イングランドのロマ／ロマニー（ジプシー）にとってのハリネズミがある[2]。

※2　イングランドのロマは、村と森の境界地に一時期とどまりまた移動するという移動生活を営んできた。彼らの伝統的な価値観では、ウチとソトとの区別による清浄性の確保が重要である。外見上の汚れ（チクリ）はたいした問題ではなく、ウチとソトの混同による穢れ（モカーディ）こそ重大である。マジョリティの定住民は、前者には気をつかうが、後者の穢れには無頓着であり、ロマにとっては穢れた存在である。そうした多数派の穢れた人間たちの中で清浄性を保持するマイノリティがロマたち自身なのである。動物の中でこのロマに類似する存在といえるのがハリネズミである。ハリネズミは、トゲによって体のウチとソトとを明確に区別する、例外的であるとともにすぐれて清浄な生き物である、とロマは考える。ロマにとって、ハリネズミは解毒作用もあると考えられ、食べるに適した特別な生き物である。

おわりに

　以上、人類文化の多様性と普遍性の一端に触れた。普遍性という点に関しては、構造言語学の考え方を文化一般へと拡張して、人間の知性に普遍的な構造があると論じた、レヴィ＝ストロースの『構造人類学』や『野生の思考』にも触れておきたいところだが、これについては省略する。

　あらためてポイントをまとめよう。本書でいう人類文化学は、人間とその文化の多様性と普遍性の両面を交差させつつ探究する。研究対象となるのは、広い地球に散らばった人類の数万年——「人類」をより幅広く設定することもできる（第4章）——の歴史の過去から現代まで、世界の辺境の地に住む少数民族から先進国の大都市に住む人々までの、さまざまな人々とその文化の固有なあり方である。哲学、言語学、文化人類学、考古学、文化史、社会学などの学問は、それぞれの切り口で人間やその文化の特定の領域にアプローチするが、そうした学問を総合し、人間と文化の総体を包括的に理解しようとするのが、未完の学問としての人類文化学である。

主要文献

新崎　盛暉・比嘉　政夫・家中　茂（編）
　2005　『地域の自立　シマの力（上）』、コモンズ。
　2006　『地域の自立　シマの力（下）』、コモンズ。
ダグラス，メアリ
　2009　『汚穢と禁忌』、塚本利明訳、筑摩書房。
江渕　一公（編）
　2000　『文化人類学——伝統と現代』、放送大学教育振興会。
合田　濤（編）
　1982　『現代の文化人類学　①認識人類学』、至文堂。
グレーバー，デヴィッド
　2020　「惜しみなく与えよ——新しいモース派の台頭」『民主主義の非西洋起源について——「あいだ」の空間の民主主義』、pp. 141-157、片岡大右訳、以文社。
長谷川　公一・浜　日出夫・藤村　正之・町村　敬志
　2019　『新版　社会学』、有斐閣。

長谷川　眞理子
　　2006　「人間の本性の進化をたどる」、斎藤成也・諏訪元他『シリーズ進化学5　ヒトの進化』、pp. 137-168、岩波書店。
柄谷　行人
　　1989　『探究Ⅱ』、講談社。
　　2006　『世界共和国へ──資本＝ネーション＝国家を超えて』、岩波書店。
リーチ，エドマンド
　　1981　『文化とコミュニケーション』、青木保・宮坂敬造訳、紀伊国屋書店。
　　2000　『レヴィ＝ストロース』、吉田禎吾訳、筑摩書房。
レヴィ＝ストロース，クロード
　　1972　『構造人類学』、荒川幾男他訳、みすず書房。
　　1976　『野生の思考』、大橋保夫訳、みすず書房。
丸山　圭三郎
　　1981　『ソシュールの思想』、岩波書店。
モース，マルセル
　　2014　「贈与論──アルカイックな社会における交換の形態と理由」『贈与論　他二篇』、森山工訳、pp. 51-454、岩波書店。
モース研究会（編）
　　2011　『マルセル・モースの世界』、平凡社。
見田　宗介
　　1996　『現代社会の理論──情報化・消費化社会の現在と未来』、岩波書店。
　　2006　『社会学入門──人間と社会の未来』、岩波書店。
オークリー，ジュディス
　　1986　『旅するジプシーの人類学』、木内信敬訳、晶文社。
佐藤　健二・吉見　俊哉（編）
　　2007　『文化の社会学』、有斐閣。
祖父江　孝男
　　1990　『文化人類学入門』増補改訂版、中央公論社。
竹沢　尚一郎
　　1987　『象徴と権力──儀礼の一般理論』、勁草書房。
　　2017　「正常と異常──選別と排除のメカニズム」、友枝敏雄・竹沢尚一郎・正村俊之・坂本佳鶴惠『社会学のエッセンス──世の中のしくみを見ぬく』新版補訂版、pp. 51-65、有斐閣。
山口　昌男
　　1975　『文化と両義性』、岩波書店。
吉田　竹也
　　2021　「異文化と自文化の間で考える」、『神の島楽園バリ──文化人類学ケースブック』、pp. 23-31、樹林舎。

第2章
人類文化研究のアルケオロジー

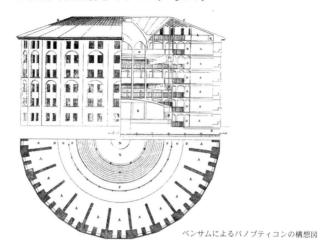

ベンサムによるパノプティコンの構想図

　この章では、第1章で述べたような人類文化学的な考え方、つまり人間とその文化をトータルに捉えようとする学問的な関心を、学問や科学の歩んできた歴史の中に位置づけるという作業を行うことにしたい。

知と制度の考古学

　その前に、タイトルにある「アルケオロジー」の含意に触れておく。アルケオロジーという語は、通常考古学と訳される。ただ、ここでは、遺跡の発掘などから物質文化研究を行うという意味ではなく、ミシェル・フーコーの「知の考古学」を念頭においている。フーコーは、われわれの知のあり方やそれによって生み出される社会制度がどのように形成されてきたかを、過去の多様で錯綜した言説の総体をさかのぼって跡づける研究、といった意味でこの語をもちいた。彼がとくに注目したのは、おもにルネサンス後の古典主義時代と呼ばれるころからの、医療、犯罪、監視、権力、性愛などに関連する近代西欧の思考様式や社会体制の構築過程である。もうすこし正確にいうと、当初フーコーは、医療や犯罪を例に言説や排除を

基盤とした権力や支配のあり方を「考古学」の立場から考察した。その後は、「系譜学」の立場から、性愛（セクシュアリティ）や生の管理を例に、中心や上位にある組織や人物が下々の組織や人々に強制的・外在的に行使するものとしてではなく、それが強制力をもつかどうかも意識されないようなかたちで、日常の何気ない生活の中に毛細血管のように隅々に行き渡り、主体が自ら進んで受け入れもするものとして、権力や支配を捉えるようになった。男女の恋愛や性愛には、フーコーの考える権力や支配——人々を生かす権力や政治を彼は「生権力」「生政治」と名づけた——が充溢している。心から客をもてなすことも、こうした支配の一例である。

　現在世界に行き渡り自明視されている制度や知は、過去においては決して自明なものではなかった。たとえば、人権、民主主義、法治主義などは、いまではわれわれの社会におけるもっとも重要な原理となっているが、そのように人々が考えるようになったのは、人類史の中ではつい最近といってよい[※3]。愛する人と結ばれ結婚することが肯定されるようになったのも、やはり最近である。今日当たり前であったり妥当とされたりするものが昔は当たり前でも妥当でもなかったし、逆に昔当たり前だったことが現在そして未来もそうであるとは限らない。フーコーは、彼のいう考古学において、複雑な歴史の綾の中に、いま自明になっている制度や考え方の形成過程を投げ返して、理解しようとしたのである。

　それにならって、ここでは、世界の隅々に住む人間とその文化の多様性と普遍性を総合的に理解するという、考えようによっては当たり前ではな

※3　たとえば、現在の自由・平等主義的で民主的な社会体制が正しく、過去の不平等で専制的な社会体制が不合理で誤っていたのだ、という考え方は、第10章で論じる文化相対主義の立場からすれば、かならずしも妥当なものではない。というのも、それはいまを基準に過去をみているにすぎないからである。過去と現在だけでなく、未来を導入して考えれば、未来において現在の何かが誤っているとされる可能性はある、とも考えなければならない。もちろん、自由・平等・民主主義の原理を否定するつもりは毛頭ない。ただ、何が正しく何が間違いであるかを、現在の自分たちがもつ価値観のみに照らして一方的に判断する姿勢にたいして慎重であろうとするのが、文化相対主義的な考え方であり、フーコーも基本的にそうした立場に立っていたと考えられる。

い考え方が、どのような系譜をたどって当たり前ないし妥当なものといえるようになったのかを、振り返っておきたい。

諸学問領域の成立

　ヨーロッパでは、中世まで、神学・哲学・医学・法学がおもな学問領域（ディシプリン）であった。これ以外にも、文学や歴史学などがリベラルアーツ（自由技芸）つまりは教養学的なものとしてあった。このリベラルアーツは、現在の人文学の源流と考えてよいが、上記の４つの学問領域に比べれば、専門的な学問として成立していたとはいえないところがあった。
　さて、ルネサンス以降、自由に物事を考える風潮がインテリ層に広まっていく中で、神に最終的な根拠をもとめるという神学的な考え方から解放されたさまざまな学問が、おもに哲学の領域から枝分かれしていった。とくに19世紀にはさまざまな学問領域が成立した。前章で述べたように、その専門を名乗る研究者が増え、学会が成立し、大学で専門課程や講座が開設されたのである。現在では、天文学・物理学・化学・生物学などのいわゆる自然科学と、文学・文化人類学・歴史学・言語学・神学などの人文科学、法学・政治学・経済学・経営学・社会学などの社会科学——なお、後二者をあわせて人文社会科学ともいう——というように分けて考えるのが一般的である。こうした括り方も、19世紀以降に現在あるような諸学問のおおくが成立する中で定着していったものといえる。それまで、神学は飛びぬけた位置にある学問であった。また、たとえば古代ギリシアのアリストテレスは、哲学・物理学・生物学・博物学など、近代ではそれぞれ枝分かれしてしまう諸学問を総合した研究を行っていた。

科学とは何か

　ところで、ここでいう「科学」とは何だろうか？
　科学とは、学問の厳密な方法という意味である。「科学」は、日常的には、最先端の科学技術や、そうした科学技術の産物、あるいは理系の学問を指すものと受けとられているが、本来は、理系・文系を問わず——といって

も、人文科学や社会科学は自然科学の厳密な方法を取り込んで科学としての体裁を整えてきた——、体系的で一貫した学問的な手続きという意味合いをもつ。信頼できるデータを論理的に組み立てたものこそ、科学的あるいは学問的な議論なのである。

　ある学問的な作業（すなわち研究）は、既存の研究の成果の上に立って、仮説やさしあたりの前提つまりは仮定を設定し、データを集め、整理し、その仮説や仮定を検証したり証明したりする、そしてあらためて既存の研究の成果とつきあわせて理論的な考察を行い、自身の研究の学問への貢献を明確にする、という方法で行うべきものである。こうした作業が体系的で、客観的で、論理的に組み立てられていれば、当該の研究を次の研究へと接続していくことができ、また、たとえ当該の研究に何らかの問題があっても、その問題を発見し、別の人による検証や批判によって補ったり修正したりすることが可能である。再検証や批判に開かれており、さらなる科学的な作業へと接続が可能であること、これも科学的であることの要件である。イギリスにおける経験主義、フランスにおける実証主義も、こうした科学的な分析・議論の必要性を唱える立場であった。科学的／経験主義的／実証主義的であるべきだという点は、基本的にどの学問においても変わらない。そして、ひとつひとつの学問的作業が積み重なって、個々の学問領域、そして学問の全体がある。

　こうした科学的な研究のスタイルは、歴史の中で鍛え上げられてきた。ひとつの重要な節目となったのが、デカルトの合理哲学である。デカルトによれば、動物は予想もできず統制もしにくい「本能」によって支配される、理性を欠いた存在である。これにたいして、人間は合理的な精神をもっている。人間の精神それ自体は、自由意志、偶然、想像力などが支配していて、なかなか予測したり統制したりすることが難しい。人間は過ちを犯すこともあれば、人を欺くこともある。しかし、この合理的な精神によって、人間は外界あるいは自然界の法則を発見・検証し、この自然法則を自分たちの社会のために役立てることができる。さらに、予測可能な法則を手掛かりとして、予測不可能な精神にもある程度はアプローチできる、という

のである。デカルトが、自然界あるいは物質の世界が予測可能で不変の法則（および因果関係）に支配されていると確信していたのは、彼が神を信じていたからである。それゆえ、彼は、疑いえない精神を見出したあとに、神の存在証明を行っている。それはさて措き、こうした彼の哲学的思索は、世界が因果関係や何らかの法則のもとに成り立っているという前提から、そのすべての構成要素をひとつの視線のもとに統一的に捉え、客観的に分析する、科学の基盤をかたちづくるものだった。彼は、近代哲学・近代数学・近代科学の祖とされる。近代科学、とくに自然科学は、もうひとつの節目であるニュートンの議論を実質的な基盤として立ち上げられていく。ともあれ、ここでは、デカルトのこうした議論が哲学や科学一般の基盤となったことを、確認しておこう。

心の科学の誕生へ

　17世紀のデカルトは、人間の精神の想像力や豊かな感情などは、そうした合理哲学の分析と相容れないものであるとした。しかし、19世紀になると、こうした人間の精神世界も、すくなくとも部分的には、科学的な探究の対象としうるのだとする新たな学問が起こってきた。それが精神分析学や心理学である。とくにフロイトは、個々人が意識しうるいわば表層レベルの精神／意識の下に、とてつもなく広く深い奥行きをもった無意識があるという仮説を立て、神経症や精神病をこうした無意識のレベルとの関係で理解し、治療しようとした。無意識のレベルは、完全なかたちで把握し分析しきれるものではないが、ある程度のところまでは把握可能であり、すくなくともこの無意識のレベルを想定しないと、さまざまな精神現象とくに病理的な現象が説明できない、というのである。また、彼は、人間の本質を、デカルトをはじめ従来の哲学者たちのように理性にではなく、欲望のエネルギーにおいた。この人間の根源にある欲望のエネルギーを、フロイトはリビドーなどと呼び、それを性的なものである——性でもあり生でもあると考えてよい——と考えた。無意識と欲望を人間理解の基盤とするフロイトの精神分析学は、意識と理性を基盤とする哲学やデカルト的

な科学主義——世界は均質であり、そこに予測可能な法則を探究しうるとする——とは異なる認識を切り拓いたといえる。それゆえ、フロイトの研究は当初「科学者」からは否定された。また、性的欲望を基盤に深層心理を解明するフロイト派とは別に、ユング派の精神分析学は神話における原的イメージの探究などに向かい、こちらはフロイト派からも批判されることになった。

　精神分析学にたいして、心理学の方はむしろ科学的方法を採ることを志向した。つまり、客観的にデータを収集し、分析可能な範囲で人間の心理の解明を行おうとしたのである。そして、ここから、人間の心理の探究を基盤にして、複雑な社会現象（人間の行為が織りなす諸現象）の中に法則を発見しようとする研究も登場する。たとえば、ガブリエル・タルドは、そうした心理学を基盤とした社会学を構想した。ただ、社会現象を人間の心理によってすべて説明することはできない。エミール・デュルケムは、タルドらの研究を批判し、心理学的事実の次元とは異なる次元にある社会学的事実を探究する学問として、社会学という学問を再構想した。すなわち、個人の心理（個人意識）と集団意識とは別次元のものであって、この集団レベルの意識こそ、心理学とは違う学問である社会学固有の研究対象である、としたのである。集団意識は、社会で共有されている規則や規範、あるいはそこまでルールめいたものではない習慣や群集心理などのかたちを取る。デュルケムの社会学は、実証主義的社会学と呼ばれる。

column2　赤信号みんなで渡れば怖くない？

　　デュルケムは、個人意識と集団意識とは別次元のものであると論じた。それを具体的に示す好例として「赤信号みんなで渡れば怖くない」がある。これは、ビートたけしが1980年に漫才や自著でもちいたネタである。赤信号を渡ってはいけないというルールはみな知っている。しかし、ひとりなら渡らなくても（個人意識）、みんな一緒なら渡っちゃえとなる（集団意識）、というわけである。個人意識と集団意識はときに

逆になる。集団ゆえの逸脱や暴走もある。2020年からの新型コロナウイルス感染症拡大の中でも、ひとりであれば守れるルールやエチケットが集団になると騒いでしまって守れない、という人はいた。

　コロナ対策に関連して、さらにここで考えてみるべき点がある。政府が周知した感染予防対策が個人意識を射程にしたものであって、集団意識にアプローチするものではなかった、という点である。政府の対策チームに社会学や人類学の専門家がいなかったのが原因ではないか、と私は秘かに思っている。これは、コロナ対策にかぎったことではない。たとえば、新ヶ江は、政府のHIV感染予防対策が合理的に思考する個人の意識を前提にしており、性行為が相手に自己を委ねるところで成り立つことを十分考慮していないことを指摘している。現在の公衆衛生対策が、集団意識や、相手とのつながりに自己を投げ出す人のさがを捨象しているとすれば、それ自体が社会にとってのおおきなリスクかもしれない。

社会の科学の成立

　ここで、デュルケムの社会学研究の一例として、『自殺論』を取り上げよう。この研究は、西欧諸社会の自殺に関する統計データを駆使し、自殺をその社会的背景との関連で考察したものである。なお、彼の研究において自殺未遂は考慮されておらず、この点をアンソニー・ギデンズらあとの時代の社会学者は批判している。また、19世紀当時の統計データがどの程度正確なものであったかという疑問もある。ただ、デュルケムが社会現象を相手に論理的で科学的なデータ分析を行おうとしたその姿勢は、いまも十分参考になる。

　自殺は、考えようによっては、個人的な心理によって説明されるべき最たる現象のように思われるかもしれない。ある一定の精神状態になったからこそ、自らの命を絶つという究極の決断をするのであろうからである。しかし、自殺は、他方で社会的な事実にほかならない。つまり、当事者個人がどのような意識を有しているか、どのような意図や心理状態であるかといった心理学的事実とは別次元で、自殺を社会現象として分析できるの

である。デュルケムの分析はより緻密なものであるが、ここでは若干のポイントを指摘するにとどめる。まず、カトリックとプロテスタントを対比すると、自殺率は後者の方が高い。これは、カトリックが教会組織をもっていて、個人がそうした集団組織に結びついているのにたいして、プロテスタントは個人が直接神との関係を取り結ぶという構図になっているためであると考えられる。また、独身者と既婚者では、自殺率は前者の方が高い。男女で傾向が異なっているなど複雑なところはあるものの、自殺は家族の統合度の強さに反比例して増減すると考えられる。さらに、都市と農村では、自殺率は都市の方が高い。農村の共同体的な絆が個人と社会との結びつきに役立っているのにたいして、都市部では人間関係が疎遠になっていることが関係していると考えられる。このように、自殺は個人的な事実であって、そこに一定の個人心理が作用していることは否定できないが、他方で、その個人がどういった社会的な結びつきの中に生きているのかという点が、自殺と相関関係にあるといえるのである。

　デュルケムの議論は、まさに実証主義的・科学的であり、のちの社会学・文化人類学の社会分析・文化分析の基盤をなすものとなった。19世紀には、これらを含むさまざまなディシプリンが分岐して成立した。それゆえ、19世紀は科学の世紀とも呼ばれる。

分化する諸学問への反動
　ここまで、デカルト→科学の成立→心理の研究→社会の研究という流れを簡単に――本当はもっと複雑なのだが、ここでは単純な話にして――追ってきた。そして、19世紀には科学の専門分化とディシプリンの分岐による分業体制が確立していったことにも触れた。

　19世紀から20世紀にかけて、さまざまな学問がさらに発展していった。つまり、研究者が増え、研究成果も増えていった。なぜそうなったのか。それは、科学に相当な資金が投入される体制が形成され持続したからである。その根底にあるのが、科学と国家と産業社会との結びつきである。科学史家の廣重徹は、それを「科学の体制化」と呼び、批判的に検討した。

産業資本主義の進展は、科学技術の発展と一体であった。また、近代国家は、教育と科学そして科学技術と産業の発展を強力に後押しし、国力の発展を目指した。さらに近代国家は軍事産業の発展をも後押しした。こうした構図は、21世紀の現在にまで基本的に引き継がれている。科学の発展は、国家や産業社会といった科学にとっての外部との密接な相互関係の上にある。現在こうした問題を主題とする研究は、科学技術社会論（science, technology and society；STS）と呼ばれる。

　20世紀は、19世紀に成立した諸学問が、さらに専門分化あるいは細分化されて発展した時代であった。たとえば、社会学の中にいろいろな〇〇社会学が成立し、心理学にもおおくの〇〇心理学が成立し、さらに両者をつなぐ社会心理学が成立し、それもまた枝分かれする、というように、学問全体の発展の中で、多数のディシプリン／サブディシプリンが分立していった。そして、たとえば博物学や東洋学といった19世紀に発展した総合的な学問は、博物館学・考古学・歴史学・文学・民族学・民俗学・生物学などにいわば解体されて発展的解消を遂げた。

　さて、こうした全体の趨勢の中で、3つのいわば反動的な動きが出てくる。ひとつは、あらためて総合的にいろいろな学問を動員して、人間についてトータルに考えよう、という動きである。その代表が人類学である。とりわけアメリカでは、自然科学系の自然人類学と人文社会科学系の文化人類学を合わせた総合人類学（general anthropology）という考え方が強調され、大学での教育・研究の中に制度化され、ある程度定着していった。文化人類学は、近代西欧の文化・社会ではなく、非西欧とくに少数民族の文化・社会を研究対象とする学問として成立した（非西欧の主要な文明社会の研究をおもに担ったのは、東洋学であった）。アメリカでは、自国の先住民研究が文化人類学の重要な柱であったため、考古学・言語学もこの総合人類学を構成するものとなった。20世紀後半のある時期までつづいたこの総合人類学への志向は、現在では下火になっているといってよい。南北アメリカの先住民や古代文明の研究といった分野を除けば、文化人類学・言語学・考古学はそれぞれ独立した学問という傾向を強めており、それらと自

然人類学との連携は部分的なものになっている。ただ、この総合人類学を志向する動き、あるいは、文理融合の総合科学を目指す動きなども、学問全体が専門分化していった状況の中で生まれたひとつの流れであった。

　学問が分岐し複雑化していく過程の中で生まれたもうひとつの動きは、既存の学問の総体をやはりトータルに捉えようとするものだが、それを歴史的に、あるいはフーコー的な意味で考古学的に、捉えようとするものである。つまり、古代ギリシアからイスラーム世界への科学的知の継承、イスラーム世界から西洋キリスト教世界への再導入（12世紀ルネサンス）、そして14世紀以降の西欧ルネサンスを経て、19世紀における諸学問の分岐にいたる、諸学問の成立と展開のプロセスをあらためて振り返りつつ、学問や科学とは何であったのかを考察しようとするものである。学問や科学について科学する研究であり、これは科学哲学や科学史、おおきくは科学論と呼ばれる。科学哲学や科学史だけがこうした考古学的な――ギデンズらの表現をつかうなら再帰的な（第12章）――視点をもっているわけではなく、個々の学問の中にそれぞれの科学史的研究はあるといってよいが、科学をトータルに再検証するという視野をもつ点で、科学論は重要な学問である。こうした科学論の成立も、科学の成熟を示すものだといえる。

　科学の発展を先へ先へと進める通常の科学研究とはある意味で対照的に、科学のこれまでの成立過程を振り返るこの立場の研究からは、科学にたいして常識的に考えるのとはおおきく異なる論点が提示されている。たとえば、科学史家のトーマス・クーンは、反証可能性は科学の真理性を保証するものではない、とした。科学的命題は、反証があったからといってすぐ放棄されるものではない。反証が提示されても放棄されなかった命題や、逆に確たる反証はなかったのに打ち捨てられた科学的命題の例は、いくらでもあるからである。クーンは、科学的命題の真理性を支えているのは、反証可能性ではなく、パラダイムであるとした。パラダイムとは、その時代に共有される認識の布置や枠組みである。パラダイムが変われば、科学的命題にたいする考え方も変わる（彼のいう「パラダイム転換」）。科学的な

妥当性とは異なるもの、単純化したいい方をすればひとつの文化が、そこに介在しているというのである。

いまひとつの動きは、哲学・思想領域の流動化である。もともと哲学から諸学が生まれたのであり、哲学は科学の方法や認識の基礎を提供する母体であったといえる。しかし、それぞれの学問領域がそれぞれ独自の研究や方法を鍛え上げていく過程が進行し、さらに相互に影響を及ぼし合うようになると、これらが諸学の基盤としての哲学とは何であるのかという問題にフィードバックされ、哲学自体が流動化し、いわば脱中心化していったのである。哲学は諸学の基礎を標榜するが、もしそれが、あらゆる時代のすべての人々にとって妥当なものがありうる、あるいは対象との関わりを考慮しないところで認識一般の妥当性を論じうる、という前提の上に成り立っているとすれば、それは非常に疑わしい、というわけである。

こうした批判的な考え方の背景にあるのが、思想の言語論的転回と呼ばれるものである。要するに、認識や知は言語によってかなり規定されており、言語は集団（そして時代）によって異なる、したがって、言語の差異を抜きにして人間の認識や知を一般論的に論じることはできない、近代哲学は、デカルトがそうであったように、思惟する主体を起点にしているが、むしろ個々の主体は集団が共有する言語があってはじめて認識し思考しうるのであって、言語――それは社会的なものである――のもつこの根本的な意義を取り込んで、哲学が抜本的に再構築されなくてはならない、という考え方への転換である。さらに、精神分析学の発展によって無意識の重要性（そしてこれを定位する仮説の妥当性）が明らかになってくると、いわば表層の意識のみによって人間を論じている哲学の議論の妥当性に疑問も生じてくる。あるいは、文化人類学のような学問から、世界の小規模な諸社会の文化や世界観がもつ豊饒性が明らかになってくると、西欧哲学がもつある種の自文化中心主義的性格を相対化しようとする議論も提示されるようになる。

こうして、既存の哲学にたいする根本的な見直しや、これとはちがった模索がはじまった。もちろん、それもまた広い意味では哲学と呼んでよい

ものである。しかし、たとえばジャック・デリダやフーコーらの議論がしばしば「現代思想」と表現されるのは、彼らの議論が、既存の哲学や他の学問の枠組みにうまく収まらないところがあるからである。彼らの議論は、人文社会科学に広く影響を及ぼしてきた。既存の学問領域を横断して幅広い影響を与えている思想家や専門家はほかにも挙げることができる。その点で、流動化し脱中心化しているのは、哲学だけにとどまるものではなく、学問分野全体に当てはまると考えてよい。

ニヒリズムについて

　以上、学問の分化と成熟とがもたらした３つの動向に触れた。ここで、第４の動向にも触れておくべきかもしれない。それは、学問や科学を否定的に捉えようとするものである。こうした根本的な否定の姿勢を、ニヒリズムと呼んでおこう。啓蒙の自己崩壊を徹底的に論じたホルクハイマーとアドルノの『啓蒙の弁証法』は、このニヒリズムの立場に近いように思われるかもしれない。しかし、彼らはまったくの絶望を論じているのではなく、そこからわずかに見える希望を頼りにしていくべきだということもいっている。ニヒリズムのひとつの思想的な拠り所はニーチェであるが、ニーチェ自身、ネガティヴな議論ばかりではなくポジティヴな議論をも提示している。われわれは、現行の社会や知のあり方に批判的な議論を受け止めつつ、やはり将来に希望をもって生きていくべきである。

　もっとも、一方で、絶望的に感じてしまうといわざるをえない局面もある。たとえば、科学の体制化の進展によって、人間は取り返しがつかないほど自然環境を破壊してしまった。ここに端的にあらわれているように、現行の世界を覆っているシステムにはいろいろな不備がある。テロリストが育つ温床も、現行の世界の体制の不備にある。テロは現行の体制や秩序を混乱させるだけで、それに代わる仕組みをつくるという建設的なものがない。彼らの動きは、ここで述べている科学や学問の次元でのニヒリズムに由来するものではない。しかし、それが、現行の社会にたいする不満や絶望から来るものであることもまた、確かである。

地球温暖化への早急な対応や、工業化された食品（たとえば遺伝子組み換え作物）の摂取コントロールなどは、いまの体制の下ではなかなか対応が進まないであろう。また、いまは問題なしとされているものが、将来たいへんな問題とされるようになる可能性もある。過去にあった公害問題や薬害エイズ事件、今後のPFAS問題などは、その例である。世界には、いまも1万3,000発程度の核兵器があり——正確な数や精度などに関するデータは公開されていないため、あくまで推測である——、これは全人類を数回絶滅させるに足る量であるといわれる。どこにどう核兵器がつかわれるかによるので、実際には絶滅しないという指摘もあるが、大国は一度に数十発の核ミサイルを発射させることができるといわれ、主要な都市が壊滅する可能性は高い。そして、過去と現在とが決定的に違う点を確認しておかなければならない。以前は、ある文明が滅んでも、ほかの地域で人類は存続しえたが、地球規模で一体化した現在の世界では、同時にほとんど全人類（あるいは大半の生命）が滅んでしまう可能性がより高まっている、という点である。

　身近なところにあるものから、直接的なリアリティにはやや欠けるようなものまで、われわれの社会はさまざまな問題やリスクを抱えている。現代社会とリスクについては、あらためて第12章で取り上げる。ここで確認しておきたいのは、科学と科学技術を高度に発展させた現行の社会の仕組みが、一方では、物質的・精神的にかつてない豊かさを創出するものであったが、他方では、グローバル化の中で途方もない程度にまでリスクを膨張させ、その豊かさを享受できる層とできない層との格差を広げるものだった、という点である。科学は発展したが、かならずしもその社会的使命を十分果たしてきたとはいえない。ただし、科学や学問以外に、絶望や破滅を免れるための方法を見つけ出す手段はたぶんない。宗教は個人を救済するかもしれないが、人間以外の生命を含めた地球を救うためには、すくなくとも宗教だけでは不十分であり、何らかの実践をわれわれが——他人任せにせず——行うほかはない。

おわりに

　最後は、やや重い話になってしまった。ここでは、人間とその文化を総合的・包括的に学ぶという本書の立場を、まずは科学の成立と発展の経緯をたどるアルケオロジーの視点から、急ぎ足でみてきた。こうした総合的な学びは、さまざまな学問に枝分かれした科学をあらためて包括的に捉える視点、科学のもつ功罪の両面をよく見極めようとする視点、などを内に含む。そして、現代のグローバル化した世界リスク社会において、人々の間にどのような格差があり、それぞれの人々がどのような問題を抱えているのかを知ることも重要である。そのためには、地球のさまざまな場所で人々が具体的にどのような生を営んでいるのかをつぶさに知ることが不可欠である。そうした具体的な局面の一端は、本書の後半の章であらためて取り上げる。その前に、本書の前半では、人間とその文化を学ぶ上での基本的なポイントを押さえていきたい。第3章では、以上の議論を踏まえ、科学と反科学という視点について述べていく。

主要文献

東　浩紀
　1998 『存在論的、郵便的——ジャック・デリダについて』、新潮社。
ベック，ウルリッヒ
　2014 『世界リスク社会』、山本啓訳、法政大学出版局。
デカルト，ルネ
　1953 『方法序説』、落合太郎訳、岩波書店。
デュルケム，エミール
　1978 『社会学的方法の規準』、宮島喬訳、岩波書店。
　1985 『自殺論——社会学研究』、宮島喬訳、中央公論社。
フーコー，ミシェル
　1970 『精神疾患と心理学』、神谷美恵子訳、みすず書房。
　1977 『監獄の誕生——監視と処罰』、田村俶訳、新潮社。
　1981 『知の考古学』、中村雄二郎訳、河出書房新社。
　1986 『性の歴史Ⅰ　知への意志』、渡部守章訳、新潮社。

フロイト，ジークムント
    1996　『自我論集』、中山元訳、筑摩書房。
藤垣　裕子・廣野　喜幸（編）
    2008　『科学コミュニケーション論』、東京大学出版会。
ギデンズ，アンソニー
    2000　『社会学の新しい方法基準［第二版］』、松尾精文他訳、而立書房。
    2001　『暴走する世界――グローバリゼーションは何をどう変えるのか』、佐和隆光訳、ダイヤモンド社。
    2009　『社会学　第五版』、松尾精文他訳、而立書房。
檜垣　立哉（編）
    2011　『生権力論の現在――フーコーから現代を読む』、勁草書房。
広井　良典
    2015　『ポスト資本主義――科学・人間・社会の未来』、岩波書店。
廣松　渉
    1977　『科学の危機と認識論』、紀伊国屋書店。
廣重　徹
    1965　『科学と歴史』、みすず書房。
    1973　『科学の社会史――近代日本の科学体制』、中央公論社。
ホックシールド，A. R.
    2000　『管理される心――感情が商品になるとき』、石川准・室伏亜希訳、世界思想社。
ホルクハイマー，マックス＆テオドール・アドルノ
    1990　『啓蒙の弁証法――哲学的断想』、徳永恂訳、岩波書店。
池田　祥英
    2009　『タルド社会学への招待――模倣・犯罪・メディア』、学文社。
石田　英敬
    2010　『現代思想の教科書――世界を考える知の地平15章』、筑摩書房。
クーン，トーマス
    1971　『科学革命の構造』、中山茂訳、みすず書房。
益川　敏英
    2015　『科学者は戦争で何をしたか』、集英社。
松本　三和夫
    2012 (2002)　『知の失敗と社会――科学技術はなぜ社会にとって問題か』、岩波書店。
ミッチェル，ジョン・小泉　昭夫・島袋　夏子
    2020　『永遠の化学物質　水のPFAS汚染』、阿部小涼訳、岩波書店。
永井　均
    1998　『これがニーチェだ』、講談社。

小田 亮
　　2000　『レヴィ＝ストロース入門』、筑摩書房。
岡本 裕一朗
　　2015　『フランス現代思想史――構造主義からデリダ以後へ』、中央公論新社。
奥村 隆
　　2013　『反コミュニケーション』、弘文堂。
大澤 真幸
　　2019　『社会学史』、講談社。
ポパー，カール
　　1974　『客観的知識――進化論的アプローチ』、森博訳、木鐸社。
新ヶ江 章友
　　2013　『日本の「ゲイ」とエイズ――コミュニティ・国家・アイデンティティ』、青弓社。
慎改 康之
　　2019　『ミシェル・フーコー――自己から脱け出すための哲学』、岩波書店。
高田 明典
　　2006　『世界をよくする現代思想入門』、筑摩書房。
　　2011　『現代思想のコミュニケーション的転回』、筑摩書房。
高橋 哲哉
　　2015　『デリダ――脱構築と正義』、講談社。
谷 徹
　　2002　『これが現象学だ』、講談社。
タルド，ガブリエル
　　2016　『模倣の法則』、池田祥英訳、河出書房新社。
ウォーラーステイン，イマニュエル
　　1993　『脱＝社会科学』、本多健吉・高橋章監訳、藤原書店。
山口 昌男（編）
　　1988　『文化人類学』、日本放送協会学園。
山口 尚
　　2021　『日本哲学の最前線』、講談社。
山下 晋司・福島 真人（編）
　　2006　『現代人類学のプラクシス――科学技術時代をみる視座』、有斐閣。
吉田 竹也
　　2013　「反科学としての観光論」、『反楽園観光論――バリと沖縄の島嶼をめぐるメモワール』、pp.39-69、樹林舎。

第3章
科学と反科学

　第2章では、人類文化学的なものの見方がどのように形成されてきたか、そこにどういった視点が入っているのかについて、整理した。その延長線上にあるこの章では、人類文化学のもつ視点のひとつとして、フーコーの「科学」と「反科学」について考えたい。なお、反科学 (counter-science) は「対抗科学」と訳されることもあるが、ここでは「反科学」と訳しておく。

科学と反科学
　まず、第2章の議論を振り返っておこう。前章では、20世紀における学問の成熟と専門分化を受けて、それにたいする3つないし4つの反動があったと述べた。①人類学に代表される、専門分化した学問をあらためて総合的に動員し学際的研究を志向する動向、②科学論（科学哲学・科学史）に代表される、科学の基盤や成立過程をあらためて問い直そうという動向、③現代思想に代表される、哲学を中心とした学問領域の再流動化・脱中心化、である。④場合によっては、こうした問い直しが近代西欧や科学にたいする否定的な認識へと向かうこともあるが、基本的には将来を見据えた

生産的な態度を保とうとしているし、またそうあるべきである。

　これらの動向はいずれも、近代西洋やそこで生まれ発展した科学を相対化する視線を宿している。あらためて整理すると、①文化人類学は西欧にとっての他者や異文化を研究対象とするという水平軸に視点を取ることによって、②科学論は科学の系譜をさかのぼるという垂直軸に視点を取ることによって、③現代思想あるいは現代的な哲学は近代西洋科学の根幹にある哲学の基盤に切り込む視点を取ることによって、それぞれのあり方で科学を相対化しようとするものなのである。

　こうした文化人類学・科学論・現代思想がもつ特徴は、フーコーのいう「反科学」という概念に照らすとわかりやすい。反科学とは、科学に抗する科学、科学を根本から批判しようとするもうひとつの科学——かならずしも科学であることにこだわらない——を意味する。フーコーは、経済学・社会学・人口学・心理学などの数値化を通した統計学的な社会研究は、自然科学を範としており、その点で科学と呼びうる、とする。これにたいして、精神分析学、文化人類学、言語学などは、客観的実在としての「人間」という一般的で普遍的なものを解体しようとする特徴をもっており、この点で反科学である、という。もちろん、それは科学を否定するニヒリズムに向かうということではない。科学が成立する根拠、あるいは普遍的なものが設定可能かどうかを根本から問おうとする、ということである。

　私は、文化人類学・科学論・現代思想には、そうした特徴が比較的濃厚にあると考える。もっとも、すべての研究がそうだというわけではない。たとえば、文化人類学の中にも、機能主義や一部の構造主義のように、フーコーのいう科学を志向する立場はある。また、フーコーは「反科学」に言語学を挙げているが、今日の言語学の主流はむしろ厳密で緻密な科学を志向していると考えてよいだろう。考古学も、フーコーのようなアルケオロジーは反科学である——科学の由来や根拠を掘りかえしてしまう——が、遺跡を掘って得られたモノから過去を知ろうとする通常の考古学は、自然科学的な研究スタイルを志向するものである（第8章）。したがって、どの学問が科学／反科学なのかについては、あまりフーコーの指摘を鵜呑み

にしない方がよい。また、もちろん反科学の方が学問としてすぐれているわけでもない。科学的なものの見方は重要であり、安易に否定すべきではない。そもそも反科学も、第2章で述べた科学的な研究姿勢を不可欠の要件とする。ただ、一方で、科学を無条件に信じたり過大評価したりしない姿勢も不可欠である。反科学と科学を、バランスよくある程度体系的に知ることが重要である。

科学をフィールドワークする

　ここで、反科学に相当する具体的な研究をひとつ紹介したい。ブルーノ・ラトゥールは、科学の人類学という分野を開拓している。それは、簡単にいえば、文化人類学の得意とするミクロな視点のフィールドワークの手法をもちいて、科学研究に内在する、科学者自身が意識していない「文化」を明らかにしようとするものである。

　ラトゥールは、実験室における実験活動の中でいかに科学の知識がつくりあげられているかという点も論じるが、科学者がフィールド調査においていかに科学知識をつくりあげているかについても、具体的な検討を行った。それについて、『科学論の実在』第2章から簡単に紹介する。これは、ブラジルのある地域で行われた、植物学者（ブラジル人）と土壌学者（フランス人）の共同調査を、ラトゥールが調査し考察したものである。

　植物学者は、サバンナでのみ成長する樹木がサバンナとの境界に近い森林にも点在しているという点に注目した。彼女は、これを森林の拡大の証拠ではないかというとりあえずの見通し（仮説）をもった。彼女は、木々に札をつけて、これを縦横の座標軸のついた空間へと変換しながら、生物多様性の変化や新しい種類の植物の出現などをノートに記し、植物標本を採集し、座標軸に沿ってコメントをつけていった。そして、採取した標本とノートを研究室に持ち帰り、これらをもとに、過去の理論やデータと突き合わせて研究を行った。植物学者は、こうしたスタイルで科学的な知識を蓄積させていった。

　土壌学者は、サバンナの下と森林の下とでは土壌の層がどのように違っ

ているかに関心をもった。土壌は粘土から砂へと劣化し、通常は砂から粘土になることはない。土壌をみれば、森林とサバンナのどちらが拡大しているかがわかる。彼は三角測量を行って座標軸をつくり、掘る穴の位置を特定した。共同の研究なので、この座標軸は植物学者の座標軸と重ね合わせた。そして地面に穴を掘って土壌を採取した。ドリルで深さをはかりながら、円筒形に土を切り出し、これをビニール袋に入れて、穴の番号、深さ、採取位置、時間などの情報をノートに書き込んだ。土壌学者は、こうしたスタイルで科学的な知識を蓄積させていった。

　詳しいプロセスは省略するが、土壌学者は、植物学者の研究を参照し、古典的な土壌学の前提からは受け入れがたいような議論に達した。つまり、森林固有の植物学的活動によって、地表付近15〜20センチメートルの範囲で、砂状土壌が粘土的砂状土壌へと変換されており、この変換はサバンナの縁で15〜30メートルの幅の帯状に生じる、と論じたのである。ここではその詳細に触れないが、重要なのは、どちらの学者も、その学問の独特の方法にもとづいて作業を行っている、という点である。まず、採取された植物や土といった標本は、実際にある森林やサバンナそれ自体からすれば、きわめて部分的なものにすぎない。森林の重量は計り知れないほど重いものだが、標本はそれよりもずっと軽い。ましてや、そのデータが書かれた紙はもっと軽く、持ち運びやすい。ラトゥールは、こうした現実世界の事物からサンプル化・データ化されたものを、「不変な可動体」（immutable mobile）と名づける。科学者は、持ち運びしやすいものへと変換し、それをもとに研究を行うが、その研究対象となるものは「不変」である、つまりデータから標本、標本から現場の土壌へと、さかのぼってたどりうるものであり、別ものへと変わっていないと判断している。しかし、視点を変えれば、サンプルとなった土がもとの森林やサバンナの土とまったくおなじであるわけではないであろう。標本は、現場の再現ではあるが、おおきな損失を受けている。広大な森林が何十本かの草木に、そこにあった大量の土壌が箱の中の土になっているからである。土の標本は乾燥して劣化し、植物の標本や昆虫の標本は乾燥して変色し、もとあったような豊

かさは失われている。だが、そうすることによって世界中のデータを集めて比較し研究することができるのであって、このプロセスにより得られたもので損失は補填されている、というのが科学者の言い分であろう。ただ、科学者たちは、自分たちがこうした埋め合わせの論理をもっていることに自覚的ではない。むしろ、実験室で保管されている標本が「不変」であるということを重視しており、損失をあまり重視していない。

　科学研究においては、さまざまな道具、それをつかう人間、習慣化された手続きを介して、当の科学のデータ・事実・成果がつくられている。たとえば、動物を剥製にし、植物を乾燥させ、蝶をピンでとめ、標本としてラベルを貼るといった作業には、科学の長い蓄積にもとづく道具・装置・技術そして人間の手仕事が、入り込んでいる。また、前章で科学技術社会論に触れたように、科学研究は政治・経済と密接な連関を有する。研究チームの中の人間関係が研究を方向づけることもありうる。

　ラトゥールの研究は、科学というものがある習慣、つまりは固有の文化にもとづいていること、しかしそれを科学者が自覚していないことを、暴いてみせた。科学的であること、客観的で再検証可能な手続きを積み重ねていくことは、もちろん重要であるが、その一方で、こうした科学の習慣や文化の介在に目を向ける反科学的な考察も必要であろう。

column3　儲かればそれでいいのか？——反科学の経済学と観光論

　どんな学問も固有の文化にもとづいているが、当の科学の専門家はそれを自覚していない。反科学はそれを可視化しようとするが、その反科学にもまた何らかの文化は介在しているはずである。結局は、諸学問がたがいに相互チェックをするしかないのであろう。

　一例を挙げよう。経済学は合理的経済人を前提とする学問である。合理的経済人とは、最小限のコストで最大限の利益を得ようとする人間である。しかし、経済学の前提を離れれば、人間がつねに合理的に行動するわけではない、ということも明らかである。クリスマスや各種記念日に高価な（そして無用な）プレゼントを贈り合うことは、経済

合理的というよりも、非合理的であろう。しかし、そうした互酬性にもとづく交換は、人間の普遍的な行為現象といってよい（第1章）。また、経済合理性はひとつの解だけをもっているのでもない。短期的にはコスト高で採算に合わなくても、環境問題に取り組んで持続可能性への貢献を消費者にアピールできれば、企業イメージはアップし、売り上げが上がり、将来的なコストダウンにつながることもある。短期的に経済非合理的でも、「経営」合理的であったり「長期的に」経済合理的かつ環境合理的であったりする場合もあるのである。さらに、異なる価値観をもつ人々を念頭におけば、ある人々にとって合理的なものが別の人々にとっては非合理的であるという場合もある（これは、私の研究テーマのひとつである）。このように、近代経済学の合理的経済人という前提に切り込むことは反科学につながる。経済人類学はまさにそうした学問であり、合理的でないものを含む人間の経済を広い視点から考察しようとしてきた。

　ちなみに、私は「反観光論」つまり反科学の観光論という立場を自称している。観光研究の主流は、いかに経済を活性化させるか、いかにまちづくりをするか、といった点を主題とする。しかし、観光客がたくさん来ても、その利益のほとんどを地域外の大手企業が吸い取っていったり、地元に利益が落ちても、それが一部の有力企業や資本家に偏っていたりすることは、ままある。また、まちづくりはかなりうまくいったが経済的効果は乏しく赤字になったという場合、これを成功とみなすのか失敗とみなすのかは、何を重視するかによって異なってくる。観光を、経済以外の幅広い視点から捉えるとともに、観光学の「体制化」（第2章）に批判的な視点をもとうとするのが「反観光論」である。

　私は、沖縄の久米島で、自分は観光の仕事についているが、たくさん観光客が来て儲かればそれでいいとは思っていない、この島を壊すような人には来てほしくないと思っている、という趣旨の話を、複数の方から聞いた。観光地になってしまったからこそ、この島の人々は島を大事にし、あくなき利潤の追求としての観光には抵抗しようとしている、と感じた。島の方たちに教えられたおかげで、私は、反科学の観光論という視点をもつことができたのである。

おわりに

　あらためて論点を整理しよう。「科学」と「反科学」というここで紹介した2つの考え方は、要するに、数値化しうるようなデータの収集と分析を通して、可能なかぎり客観的・科学的な研究をやっていけると信じてやっていくのか、あるいは、そうした客観的な学問という考え方にたいして批判的な視野をもち、科学の客観性を前提とするのではなくむしろそれ自体を検証の対象とするのか、という選択にかかっているといえる。前者に関心があるタイプの人もいれば、後者に関心があるタイプの人もいるだろう。たとえば哲学・文化人類学・考古学それぞれに関心がある人の中でも、その2つのタイプに分かれるであろう。読者は、どのタイプであり、どの分野やテーマに関心があるだろうか？

　本書では、この2つの考え方のタイプそれぞれについて、もうすこし掘り下げて議論を進めていきたいと思う。つまり、「科学」に関しては、まずデータの正確な収集・処理・分析が重要となる。他方、「反科学」に関しては、とくに人間とその文化の研究においては、自分が信じている／正しいと思っているものとは違った価値を信じている人々がいるという点、つまり異文化をどう考えるかという点が重要なポイントになる。そこで、以下では、人間とその文化を研究するに当たって、データ処理と異文化理解というこの2つについて、考えていきたい。そしてその上で、現代社会のリスクという点を取り上げてみたい。

　ただ、そうした議論に入る前に、人間にとって文化とは何かについて論じておきたい。これが第4章と第5章である。

主要文献

ダーウィン，チャールズ
　2020　『ミミズによる腐植土の形成』、渡辺政隆訳、光文社。
フーコー，ミシェル
　1974　『言葉と物──人文科学の考古学』、渡辺一民・佐々木明訳、新潮社。

檜垣 立哉（編）
  2011 『生権力論の現在——フーコーから現代を読む』、勁草書房。
久保 明教
  2019 『ブルーノ・ラトゥールの取説——アクターネットワーク論から存在様態探求へ』、月曜社。
ラトゥール，ブルーノ
  2007 『科学論の実在——パンドラの希望』、川崎勝・平川秀幸訳、産業図書。
  2008 『虚構の「近代」——科学人類学は警告する』、川村久美子訳、新評論。

第4章
ホモ＝サピエンスと文化

　第4章と第5章では、人間とその文化について、人間という生物がそもそもどういった特徴をもつのかという観点に照らして、考えることにしたい。

ヒトという生物の特徴
　現生人類は、ヒト科（ホミニド Hominidae）・ヒト族・ヒト属（ホモ属ともいう）のホモ＝サピエンス＝サピエンス（Homo sapiens sapiens）という亜種に分類される。ヒト族の中に、ホミニン（ヒト亜族）というカテゴリーを設定し、ここに現生人類とその祖先（チンパンジーの祖先と分岐した後の）を入れる考え方もある。今後も、現生人類やその祖先をいかに分類するかをめぐっては、さまざまな議論が出てくるだろう。ここでは、概要のみを押さえておく。以下に記す年代も、あくまで概算であり、諸説ある。
　現生人類、あるいはその祖先を含めた人類を、単に「ヒト」とあらわすこともある。ゴリラ、オランウータン、チンパンジー、ボノボは、ヒト科の別の族や属で、類人猿と呼ばれる。人類の祖先は、チンパンジーの祖先

から700万年前あたりに分岐した。現生人類とチンパンジーとの遺伝子の違いは2％未満である。以前は、猿人（500万年前〜100万年前）→原人（250万年前〜10万年前）→旧人（20万年前〜3万年前）→新人（4万年前〜）という進化の段階が設定されていたが、いまではこうした段階設定はあまり正確でないとされており、猿人と、250万年前に出現したホモ属つまり原人以降との間の差異を重視するのが、最近の考え方である。

人類の祖先はある段階まで樹上で生活していた。現在最古とされるのは、チャドで発見された700万年前のサヘラントロプス・チャデンシスの化石である。発見されたのは頭骨の一部であるが、その形状から直立二足歩行をしていたと推測される。むろん樹上生活が中心であったろう。脳は小さかった。その祖先の霊長類は、枝を手繰り寄せるために四肢が伸び、枝をしっかりもって移動するために指が長くなり、指の先端の爪が鉤爪ではなく平爪になり、親指が他の4本の指と対向するかたちになった（これを拇指対向性という）。そして、しっかりと枝をつかんでいることを確認できるようになった。つまり、手が目で見えるということであり、こうして、手がより器用になるとともに、両目が前の方に移動していった。これにより、奥行きを正確に知覚できるようになった。ほかのおおくの動物種は、両目を左右に配して視界を分担することにより、広い視野を確保している。その方が、外敵から身を守ったり餌を捕獲したりするためには有利である。例外は、獲物を視覚的に見定めて捕獲する肉食獣や猛禽類——ライオンやタカなど——であるが、それらは手近なところにある獲物を手で捕まえるわけではなく、遠くの獲物を視覚的に捉えてそこに移動するという手段を取る。その点で、手の発達と両眼視とが同時に備わっているのは、霊長類の独特の特徴である。そして、そこにもうひとつ、前肢の肘と手首とがかなり自由に内外に回転する（これは回内・回外運動という）という点が加わった。こうして掌を見ることが可能になった。これは他の動物にほとんどない特徴である。この、手を見ながら手をつかうことで、手の器用さはさらに発達した。そして、人類の祖先は、樹上生活中心から地上生活中心になり、東アフリカにできた草原を二足歩行で比較的長い距離を歩い

て生活するようになった。250万年前のアウストラロピテクス・ガルヒがつかったオルドワン石器が最古の石器とされてきたが、近年は330万年前のものが最古という議論もある。

　250万年前ごろに出現したホモ属は、目でしっかりと見ながら手を器用にもちいて石器（あるいは骨角器など）をつくり、この道具をもちいて狩りをし、食糧を確保して、集団で生活する、という生存スタイルを確立していった。また、ある時期までアウストラロピテクスと並行して地球上に生息していた。ホモ属のおもな特徴として、①直立二足歩行、②打製石器という道具の使用、③体重／体積に占める大脳の割合の肥大化（つまり大脳の発達）、④身体の大型化と下肢の伸長、⑤無毛性──哺乳類では、水中生活するものや穴居性のものを除けば、ヒトだけである──と汗腺による体温調節の発達、⑥ある段階からの火の使用と、それによる歯などの咀嚼器の負担軽減、⑦声帯の発達と言語コミュニケーションの発達──ヒトの白眼がおおきいことも、コミュニケーションに関わると考えられる──、⑧衣服や住居などの物質文化、埋葬などの精神文化の存在、などを指摘できる。ヒトは、ほかに、⑨発情期がなく、年中性交をし、出産期も決まっていない、⑩他の動物に比べ、メス／女性の乳房がおおきい、といった特徴もある。さらに、⑪ヒトの際立った特徴として「二次的就巣性」という点がある。

　就巣性の動物は未熟な新生児を多産し、離巣性の動物はより成熟した新生児を少数産む。霊長類は離巣性だが、その中でも、ほかのサルや類人猿に比べて、ヒトは例外的にかなり未熟な新生児を出産する。これが二次的就巣性と呼ばれる特徴である。たとえば、チンパンジーの新生児の脳のおおきさは大人の40％程度である。類人猿の場合、新生児の脳は大人のおよそ半分と考えてよい。一方、現生人類の新生児の脳は大人の25％〜20％であり、1歳の時点で脳は2倍（大人の約半分）になり、5歳で大人の約90％、10歳で大人とおなじおおきさになる。こうした特徴は、「成長遅滞」と呼ばれることもある。未熟な段階（一種の早産状態）で出生し、生まれた後とくに1歳までに大脳が急速に成長するのである。これは、

ヒトという生物にとって、生まれたあとに学習し獲得するものが、他の生物とは比較にならないほど重要であるということを示唆する。以前は、この特徴はホモ・エレクトス（原人）にすでにあったとされていたが、最近の研究では萌芽的なものにすぎなかったともされる。

現生人類は、3万年以上前から犬を飼っていたとされる。野生の動物や植物を家畜化／馴化する（ドメスティケート）、つまり、有用な一部の生き物の繁殖メカニズムに介入し、自然を自分たちの都合のいいように加工するようになったのは、4～3万年前からである。そこには、無用な生物の破壊も含まれると考えてよい。これが、人間による自然の支配への第一歩だった。そして、いまやヒトの人口は80億になろうとしている。ひとつの種（亜種）で80億のポピュレーションとなる生き物は、大型動物ではほかにない。その繁殖ぶりは、他の生物と生態系への介入なしにはありえなかったと考えてよいだろう。

人類進化の3ポイント

ここでは、人類の進化の過程、石器をはじめとする文化の諸特徴、そして、いまから約1万年前におきた気候変動による環境の変化——気候が温暖になり、現状のような海陸になり、マンモスやトナカイなどの寒系の大型獣が消滅ないし減少し、イノシシやシカなど暖系の小型獣が繁殖するようになった——に即した人類の地域ごとの順応戦略についての説明は省略する。それらについては、たとえば自然人類学者の埴原和郎や山極寿一の著書が参考になる。ここでは、3つのポイントを確認するにとどめたい。

第1は、いままで発見されている人類の祖先と思われる骨やその遺跡は、いずれも現生人類の直系の祖先のものとはかならずしも断定できず、むしろ傍系の祖先のものである可能性が高い、という点である。さまざまな議論や仮説があるが、現生人類の直系の祖先として広く意見の一致を見た骨や遺跡は、まだ発見されていない、と考えてよい。

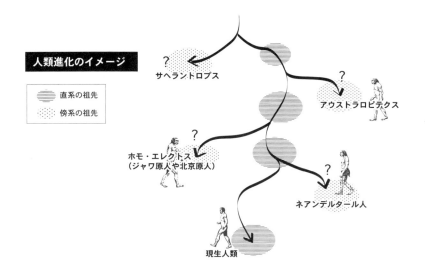

　関連して、近年の興味深い話題に触れておきたい。シベリア南部のアルタイ山脈のデニソワ洞窟で、小指の先の部分の骨が発見された。2010年に発表された分析成果によれば、このデニソワ人は、ホモ＝サピエンスやネアンデルタール人などとかなり違っているが、それらと交雑していた可能性がある。今後も、さまざまな発見はあるだろう。人類進化の過程を解き明かす作業——これは自然人類学の研究分野といえる——は、その過程をつなぐパーツのいくつかを発見するところまでは来ているが、いわゆるミッシング・リンクの確定にまではいたっていない。

　第2は、現生人類の中で生物学的な差異はあまりないという点である。現生人類の祖先は、アフリカで出現し、その後ユーラシア大陸に出て行き、世界中に拡散していった。しかし、アフリカからユーラシアに展開し各地で環境に適応しようとした祖先たちのほとんどは、絶えてしまった。何度目かのトライがおそらく奇跡的に成功して、人類はこうして地球に繁殖しているが、その例外的な成功者のグループは、4万年前あるいは10万年前にさかのぼるといわれる。なお、以前は、現生人類の祖先はアフリカの1人の女性にさかのぼるという「イヴ仮説」——人間の細胞にあるミトコンドリアの研究をもとにした説——が注目を集めたが、現在それは否定的に受け止められている。いずれにせよ、現生人類は、生物学的には多様と

いうより一様である。

　ここで、人種（race）に関する誤解に触れておきたい。人種を生物学的な違いと考えている人はおおいであろう。しかし、その常識は誤りといってよい。人種は、生物学的な特徴に根拠をもとめる文化的・政治的な区別である、と考えるべきである。民族は文化による違い、人種は生物学的な違い、と一般にイメージされているが、上で述べたように、現生人類に生物学的な違いはあまりない。すくなくとも、黒人・白人・黄色人種（モンゴロイド／アジア系）の３つの間に明確な境界線が引けるほどの差異はない。そのあいまいな差異をことさら強調し、白人が自分たちの優位性を生物学的な知識に照らして疑似科学的に根拠づけようとした結果が、人種という概念だ、と考えるべきである。ややこしい話かもしれないが、生物学的なものであると社会的・政治的にみなされた差異が、人種という概念を正当化する根拠となってきたのであり、それゆえ、人種は生物学という科学にもとづく概念とはいえないのである。人種差別と民族差別は、その点で区別できないものでもある。

　第３は、人類は、言語・道具・社会組織などの文化的要素を生存手段としてきた、という点である。たとえば、カール・マルクスは、人間が所与の環境に受動的に対応するのではなく、自ら環境に積極的に働きかけてこれを変えつつ利用し、またそうして自らをも変えていくという相互的な関係を、他の動物と異なる人間の際立った特徴とみなした。この人間と自然界との弁証法と、階級の弁証法の２つが、マルクスの歴史変動論つまり史的唯物論の軸であった。彼は「文化」というよりも「社会」を論じた人ではあるが、人間という生物の本質をこうした生存手段としての文化という点に看取していた。人間は文化をつくり、文化で対話し、文化で考え、文化を生きる。人間だけがコミュニケーション手段・道具・社会組織といった文化をもっているというわけではない――たとえば、ハチやアリはコミュニケーションを交わし、役割分担のある社会をつくっている。巣の中で食用キノコを育てるアリや、石や枝を道具としてもちいる野生のチンパンジーもいる――が、人間という生き物は文化を抜きにしては生存しえな

い、ということはいえるだろう。

ふたつの文化論

　さて、ここから文化の話に移ろう。いま、文化は人間という生物の生存手段であり、言語・道具・社会組織といったものからなる、と述べた。この考え方は、「文化」を定義するひとつの立場である。ただ、「文化」の定義にはもうひとつ別の立場もある。この２つの立場の違いや根拠については、たとえば拙論を参照していただくことにし、ここではポイントとなる結論部分だけを簡単に説明しておきたい。

「文化」の定義には、おおきく分けて２つの立場がある。それぞれ、狭義の定義と広義の定義とする。上で触れたのは、後者の広義の文化論の立場である。

　文化を広く定義する立場は、端的にいえば、「文化」を「自然」と対立するものと見なす立場である。人間という生物に関していえば、「自然」は人間に先天的に備わっている遺伝的・生物学的特徴であり、「文化」は人間が後天的に獲得する特徴や性質・事物である。あるいは、これを「有機体的」特徴と「超有機体的」特徴といいかえることもできる。二足歩行する、食べる、寝る、排泄する、性交し子孫を残す、会話する、といった人間の営みは、生物としての人間の先天的な特徴である。ただ、いかに歩くか――杖や車など、いかなる道具をつかうかも含め――、どのような道具をつかって何を食べるかなどは、生物学的には決まっておらず、それぞれの社会の歴史の中で伝えられ、また変化してきたものである。こうしたものが文化であり、具体的には、言語、知識、宗教、芸術、社会制度、習慣、衣食住、種々の技術などの形態を取る。たとえば、タイラーという初期の人類学者は、次のように文化を定義した。「文化または文明は、知識、信仰、芸術、道徳、法律、慣習など、社会の成員としての人間が獲得した、あらゆる能力や習性の複合的全体である」。なお、この定義にある「習性」(habits)を「習慣」と訳して紹介する議論もあるが、それでは「慣習」(custom)と重なるので、これは誤訳であると考えた方がよい。

現在では、こうした複合的な全体としての文化の中に、①言語を主要な媒体とし、人間の行動の指針となる、知識・観念・価値の体系（これは狭義の文化の体系でもある）、②人間の行動によって成立する社会組織・制度・ルール（これは社会の体系といえる）、③物質文化とそれを生み出す技術の体系、の3つをおおまかに区別する考え方が支配的である。このように、広義の文化は、物質文化・技術の体系、社会の体系、そして観念・価値の体系つまりは狭義の文化の体系、からなると考えることができる。
　この狭義の文化については、第9章で異文化理解について論じる中であらためて触れる。ここでは、広義の文化、つまり人間の生存手段としての文化という点に絡んで、ひとつ読者に考えていただきたい問題を提起したい。

文化と人間の幸／不幸

　人間という生物は、その歴史の中で、他の生物にはみられない、後天的な生存手段である文化（言語、観念や価値観、社会、道具や技術）を武器にして、この地球のさまざまな場所の環境に適応し生存していくための試行錯誤を繰り返してきた。何度も人類の祖先は失敗し、奇跡的にある集団が生き延び、そこから分かれた集団のほとんどがまた死滅する中で奇跡的に生き延びる集団がおり……という過程の結果、今日の現生人類の異常ともいえる繁殖がある。
　他の生物は、先天的にもっているその生物の特徴に適した特定の環境の中に生存し、遺伝子の突然変異をばねにして、比較的長い時間をかけて、その生物としての特徴を変えてきた。これにたいして、人間はホモ＝サピエンス＝サピエンスというひとつの亜種の中で、きわめて多様な環境への順応方法や生存様式を編み出し、言葉をつかって短時間の間にその優れた生存方法・順応手段を仲間に伝え広めることができた。そして、その後、自然や他の生物への本格的な介入もはじめた。これが、人類がこの地球で繁殖できた理由である。
　ここで読者に考えていただきたいことがある。このような特徴をもつ人

間という特殊な生物を、肯定的に評価するだろうか、あるいは否定的に評価するだろうか？

　人間以外の生物は、基本的に生まれもってインプットされている生物学的特性にしたがって生存し、子孫をもうけ、死んでいく。第1章でも触れた栄養摂取についていえば、ライオンは集団で狩りをして動物の生肉を食べ、ハイエナは死肉や骨までも食べ、シカは草を食む、というようにである。ところが、人間の場合は、そうした特定の限られた先天的な性質にしたがわず、生まれたあとで学び獲得する、それぞれの地域や集団によって千差万別に異なる食文化をもって生きる。

　こうした人間の生き方を、無限の可能性に開かれているという意味ですばらしいと考えることはできる。しかし、逆の見方もできるのではないだろうか。つまり、特定の生物に備わるはずの特定の生来の特徴やメカニズムをもたない、生き物としての大事なものを失った、いわば壊れた生き物が人間なのだと。先に触れたマルクスは、人間が本能的反応という生得の性質をもっていないからこそ、環境との間に創造的な相互作用を営むよう強いられていると論じた。マルクスは、現代のエコロジーに通じる認識をもち、人間や資本主義が自然の制約を受けるものである（にもかかわらず、自然を略奪するところに資本主義の矛盾が生じる）と捉えていた。一方、マルクスが生きた19世紀に支配的であったのは、人間は進化の頂点に君臨し、自然を利用できる優れた生き物である、という考え方であった。後者の認識は現代にも伏流しているといってよい。だが、人間は、いわば神から突き放された生き物である――見守られているのかもしれないが――という考え方もできるのではないだろうか。

　たとえば、何故人間同士は殺し合うのだろうか。動物の場合でも、メスをめぐってオス同士が争うことはある。しかし、個体の生存のための動物の戦いとは異なり、人間は、集団（たとえば国家）の間で憎しみや怨念を残すような大規模で持続的な戦争や殺戮を繰り返す。それは、人間が憎悪や怨念を感じ考える価値の体系をもち、社会組織をつくって集団で行動し、殺戮のための武器を短時間で作成し「改良」する技術をもつ、つまり広義

の文化をもつからではないか。言葉があるからこそ、人間は仲間に憎しみを伝え、世代をこえてそれを記憶し、さらには憎悪を拡大・強化させてしまうのではないか。人間の戦いがほかの生物にはありえない悲惨さをもつ——他の生物をも巻きこんで、地球のほとんどの生物の絶滅ももたらしかねない——のは、人間が後天的な文化を生存手段とするからではないだろうか。

　もちろん、文化があるから、人間は愛について語り、幸せについて考えることができる。言葉や価値・観念をもたない動物は、愛や幸せといった抽象的なものを考えたり感じたりはできないはずである。しかし、動物は、言葉をつかわずたがいをただ単に愛し、頭で考えずに単に幸せを生きている、といえるのかもしれない。また、逆に、不幸を「不幸」と感じるのも人間だけであり、動物は不幸をただ生きているだけかもしれない。自ら不幸な人生を「不幸」と感じてしまい、挙句に自殺するのは、文化をもつ人間だけであろう。また、助け合いや協力は動物の世界にもある。

おわりに

　文化をもつ人間は、自らの生を自分で自覚し、方向を選択し、変えていくことができる。われわれはそれを「すばらしい」と思っている。しかし、そう思わなければ人は生きていけないのかもしれない。ただ、いずれにしても、われわれは人間として生きていかざるをえない。ライオンやシカのように生きていくことはできないのである。そうであるならば、いかにしてこの「文化」の存在する世界を、よりよく生きるかを考えるべきであろう。

　そのことは「異文化理解」の必要性という点に結びつく。また、そもそも多様な文化に満ちた人間の世界をいかに正確に把握しうるのか、という問題とも結びつく。後者の問題は、データの正確な把握と分析という点につながる。だが、それについて話を進める前に、言語という人間の文化の重要な要素について、まとまった話をしておくことにしよう。

主要文献

新　睦人（編）
　　2006　『新しい社会学のあゆみ』、有斐閣。
綾部　恒雄（編）
　　2006　『文化人類学20の理論』、弘文堂。
ベネディクト，ルース
　　2020　『レイシズム』、阿部大樹訳、講談社。
ダイアモンド，ジャレド
　　2012　『銃・病原菌・鉄――一万三〇〇〇年にわたる人類史の謎（上）（下）』、倉骨彰訳、草思社。
埴原　和郎
　　2004　『人類の進化史――20世紀の総括』、講談社。
石　弘之・安田　善憲・湯浅　赳男
　　2013　『新版　環境と文明の世界史――人類20万年の興亡を環境史から学ぶ』、洋泉社。
岩田　誠
　　2017　『ホモ・ピクトル・ムジカーリス――アートの進化史』、中山書店。
海部　陽介
　　2016　『日本人はどこから来たのか？』、文藝春秋。
マルクス，カール
　　1956　『ドイツ・イデオロギー』、古在由重訳、岩波書店。
モリス，デズモンド
　　1999　『裸のサル――動物学的人間像』、日高敏隆訳、角川書店。
仲野　徹
　　2014　『エピジェネティクス――新しい生命像をえがく』、岩波書店。
中尾　央
　　2015　『人間進化の科学哲学――行動・心・文化』、名古屋大学出版会。
日本第四紀学会（編）
　　2007　『地球史が語る近未来の環境』、東京大学出版会。
小熊　英二
　　1995　『単一民族神話の起源――〈日本人〉の自画像の系譜』、新曜社。
理化学研究所脳科学総合研究センター（編）
　　2007　『脳研究の最前線（上）（下）』、講談社。
ロバーツ，アリス
　　2020　『飼いならす――世界を変えた10種の動植物』、斉藤隆央訳、明石書店。

斎藤　幸平
　　2019　『大洪水の前に——マルクスと惑星の物質代謝』、堀之内出版。
斉藤　成也・諏訪　元・颯田　葉子・山森　哲雄・長谷川　眞理子・岡ノ谷　一夫
　　2006　『ヒトの進化　シリーズ進化学5』、岩波書店。
更科　功
　　2018　『絶滅の人類史——なぜ「私たち」が生き延びたのか』、NHK出版。
竹沢　泰子（編）
　　2005　『人種概念の普遍性を問う——西洋的パラダイムを超えて』、人文書院。
Tylor, E.B.
　　1921（1871）*Primitive Culture*. vol.1. London: John Murray.
山極　寿一
　　2008　『人類進化論——霊長類学からの展開』、裳華房。
吉田　竹也
　　2000　「イデオロギーとしての民族概念」、森部一・水谷俊夫・吉田竹也（編）『文化人類学への誘い』、pp. 89-109、みらい。
　　2007　「文化というまなざし——人類学的文化論覚書」『アカデミア』人文社会科学編 84: 43-126。

第5章
歌う鳥と話すヒト

　この章では、言語について考えてみたい。といっても、ここでは、言語学に相当する研究内容ではなく、ヒトという生物にとっての言語の意義をヒト以外の生物についての考察から導くという、いわば迂回路をたどる研究を、参考にすることにしたい。

ヒトと言語能力

　まず、これまでの章で触れた点をおさらいしておこう。言語は、現存する生物の中ではヒトだけがもっている。言語は文化の重要な一領域であるが、正確には「文化」と「自然」の2つに関わるものである。その人が何語を話し理解するかは後天的に決まるが、ヒトは生得的におよそあらゆる言語を話し理解する能力を身につけているからである。言語学者のノーム・チョムスキーは、これを普遍文法（Universal Grammar）と呼んだ。いまでは、遺伝子レベルでこの生得的なヒトの言語能力を調べる研究も行われている。

　たとえば、イギリスのKEと呼ばれるある家系では、3世代20人以上

にわたって音声性言語障碍、つまり発話の障碍がみられる。この家系を調べ、遺伝子を解析した結果、FOXP2と呼ばれる遺伝子（の553番目のアミノ酸）に異常があると同定された。この遺伝子は、当初「文法遺伝子」ではないかと考えられた。しかし、いまでは文法ではなく、発声という運動の制御に関わる遺伝子と考えられている。ただ、この研究は、発声という点で、人間の言語能力に分子生物学からアプローチする重要な一歩となった。このFOXP2のアミノ酸は、チンパンジーやゴリラなどの類人猿ではおなじだが、ヒトとこれらのサルとでは2か所で異なる。このヒトにおける変異がいつ起こったのかを計算すると、20〜10万年前であることがわかった。つまり、ホモ属の出現以降である。

言語・ヒト・チンパンジー

　ところで、言語とは何であろうか。簡単にいえば、言語はシンボルの体系である。シンボルとは、本来何の関係もないあるもので、ある意味を伝えるというものである。A（意味内容、シニフィエ、意味されるもの、などと呼ばれる）をB（意味表現、シニフィアン、意味するもの、などと呼ばれる）があらわす場合に、AとBとの連合関係全体——シニフィエとシニフィアンからなる記号——を、ひとつのシンボルという。それぞれの言語は、意味と音（正確には音のイメージ）とが、ここでいうAとBとして結びついた体系である。言語には、意味と文字という媒体（意味表現）との連合関係もある。ただし、歴史上知られている社会の中には文字社会と無文字社会とがあり、文字はまた別格で扱われるべきものである。文字のない人間の社会はあったが、言語のない人間の社会はなかったと考えてよい。いずれにせよ、言語は、音のイメージと意味とがつながってできている語句を、文法という法則でつなぎあわせた体系である。なお、言語は、コミュニケーションに不可欠であるだけでなく、記憶にも不可欠な役割を果たしている。言語化した情報は長時間の記憶が可能であり、たとえばある色を「赤」という語に置き換えて、相当長期にわたり覚えておくことができるのである。色、匂い、抽象概念、複雑な情報は、言語や文字がなくては、長時間

記憶することができず、伝達することもできない。

このような言語をもっているのは人間だけであると述べた。読者の中には、チンパンジーがコンピュータやカードをつかって人間の言語の初歩的なものを理解し簡単なコミュニケーションを交わすことができる、というニュースを見た方もいるかもしれない。たしかに、チンパンジーに手話を覚えさせたり、さまざまなかたちのプラスチックの板と物事との対応関係を学ばせたりすることはできるようである。しかし、たとえそうして数百近いシンボルを覚えたとしても、チンパンジーが伝えられるのは、何らかの具体的な欲望だけのようであり、たとえば、過去や未来のことを伝えたり、単なる記述や描写をしたり、架空のことや抽象的なことを伝えたり、空想したりはできないようである。「今日は夕日がきれいだな」とか「昨日は寒かったな」といったコミュニケーションは行えないのである。また、そもそも実験においてチンパンジーは、人間の手助けや道具があってはじめて簡単なコミュニケーションを交わすことができるのであって、人間なしの自然状態で、自ら新たにシンボルをつくったり人間の言語活動の初歩的なものを実践したりすることはできない。したがって、その種の実験は、チンパンジーの知能の高さを証明するものではあるが、同時に、チンパンジーの知能と人間の言語能力との間にあるおおきな断絶を証明するものでもある。人間と他の動物との間にある言語能力の違いはきわめておおきいのである。

もうひとつ触れておくべき点がある。チンパンジーは、意味内容（シニフィエ）と意味表現（シニフィアン）の対応性を学習する能力は高いが、シンボルを法則的に並べる（これを言語学では統語性と呼ぶ）のはかならずしも得意ではないのである。つまり、単語の意味を覚えることには秀でているが、単語をつなげて文をつくることは苦手なのである。

ところが、チンパンジーと対照的に、シンボルの対応関係を覚えるのは苦手だが、統語性の方に秀でた動物と考えてよいものが存在する。何であろうか？

それは鳥である。鳥の歌にはある種の文法構造のようなものがある。鳥

は音声を法則的に長々とつなぎ、いわば歌を歌うことができる。最新の研究では、一部の鳥についてはその歌が意味をもっており、異なる種類の鳥の間でもメッセージを伝え合うことがわかってきた。また、オウムのように人間の声をまねる種類もある。他方で、チンパンジーは、口腔内の構造により、複数の母音を発声することすらできない。こうして、言語の発生については、ヒトと近似する生物であるサル（類人猿）からアプローチする研究以外に、鳥からアプローチする研究がある。前者は、手と目との連動性に注目しながら、シンボルの使用と学習に焦点を当てた研究であり、後者は、耳と口との連動性に注目しながら、シンボルを連続的につなげて発する統語性に焦点を当てた研究であるといえる。読者の中には、前者を知っている人はいても、後者を知っている人はおそらくすくないであろう。そこで、以下では、動物行動学者の岡ノ谷一夫の議論を参照し、この鳥から人間の言語の解明を行う研究について確認していくことにしよう。

言語成立に関するある仮説

　言語の起源について考える場合、有力な立場としては2つないし3つの考え方がある。①言語をもつのは、知られている生物ではヒトだけである。進化の過程で言語がいかに生まれたかは、推測以外に知るすべがない。たとえば、人間がいつから言語を使用していたかは、化石や遺跡の中に物的証拠を確認できないため、探究しようがない。したがって、言語の進化について考えることには無理があり、とりあえず学術的な主題からは外すべきである。この立場が断絶説であり、チョムスキーなど主要な構造言語学者はこの立場を取ってきた。②言語は、進化の段階を経て、自然淘汰によって生まれ発展したものである。たとえば、ある文法はより適応度が高いからそれが選択されたのだと考えられる。この立場が漸進説である。ただし、この漸進説は、議論としてはやや単純といえる。③岡ノ谷は、前適応説という第3の立場を取る。これは、言語はそれぞれ独立して進化してきた複数の機能や特徴が融合して新たに生まれたものだとする立場である。言語それ自体はヒトだけに見られる特徴であるが、他の動物にも備わ

る複数の特徴がたがいに交わることによって言語という創発的なものが生まれたのではないか、と考えるのである。具体的に重要なのが、意味内容と意味表現の対応性を学習する能力と、シンボルを文法的に並べる能力であり、前者は類人猿にもある程度あったが、類人猿には弱かった後者の力を獲得したことで、人間の言語能力が成立した、と考えるのである。

ところで、人間の言語がここまで複雑で高度に発達した原動力は何だったのだろうか。ひとつの有力な仮説は、性淘汰説である。つまり、それが求愛にとって重要な役割を果たしたからだと考えるのである。性淘汰説は、ダーウィンに由来する。ダーウィンの自然選択説は、おなじ生物でも個体には変異があり、それが遺伝によって親から子へ伝えられ、うまく生き残る者が繁殖して遺伝子を残すので、その形質が進化していく、というものである。ただ、有性生殖を行う生き物は、異性に選択されないと子孫が残せない。一般に、メスは産卵や子育てなど、繁殖におおくの時間とエネルギーを費やすので、求愛してくるオスの中から優れたあるいは好みのオスをメスが選ぶことになる。オスは自分のよさをメスに示すシグナルを発達させ（異性間淘汰）、ライバルのオスを排除する（同性間淘汰）。このように、性淘汰は自然選択のひとつのあり方と考えてよい。

言語の特徴は、子どものころに学びやすいが、大人になってからは学びにくいという点にある（第1章）。他方で、子どものころに言葉を駆使して何かをしなければいけないということはあまりない。伝統的な社会でも現代社会でも、複雑な説明やコミュニケーション能力が必要となるのは、言語学習をした後の大人になってからである[※4]。そして、性愛の局面で、そうした言葉遣いに優れた個体が子孫を残し、その累積で言語が発達して

[※4] たとえば、人類学者のクラストルがフィールドワークを行ったアマゾン流域の狩猟採集民社会は、国家もなく村もないが、リーダーがおり、彼はその爽やかで巧みな弁舌力でリーダーとしてグループをまとめる。また、彼は惜しみなく人々にものを与えなくてはいけない。この社会では、リーダーは、こうした特性をより備えた人なのである。いまも昔も、さまざまな社会で、言葉を交わし納得を得ることで、人はつながり、集団はまとまる。

きた、と考えるのである。歌が巧みな男性は女性にもてる。歌を嫌いな人はまずいない。庶民が好み、おおく歌われるのは、ラブソングである。

　人間については、これはまだ仮説でしかない。しかし、鳥、そしてクジラなどに関しては、歌を歌う能力が性的な淘汰によって進化してきたことは、ほぼ確実である。彼らのさえずりや歌は、そのほとんどすべてが求愛のためのものである。鳥の歌は、ライバルから縄張りを防衛するという機能もある。メスにとって、それは求愛の歌に聞こえ、オスにとっては攻撃的な防衛の歌に聞こえるのである。そして、鳥たちは、生殖年齢に達する前にオスの鳥から歌を学ぶ。学習時は親子関係、そして使用時は恋人関係なのであり、これはヒトの言語とおなじパターンである可能性がある。ただし、人間の言語は恋人への求愛やライバルへの牽制だけでなく、社会関係全般においてもちいられる。また、鳥の場合、メスが縄張り防衛のために歌ってオスとともに防衛する種類はあるが、一般に歌をめぐるオスメスの関係は非対称的であって、人間の会話の男女対称性との間には落差がある。したがって、こうした鳥とヒトとの差異をいかに説明できるのか、その上でいかに人間の言語と求愛とを結びつけられるのかは、今後詰めた議論が必要となる。

　岡ノ谷は、ジュウシマツの研究から求愛と言語の成立という主題にアプローチする。ジュウシマツは、東南アジアに生息するコシジロキンパラを家禽化（馴化）したものである。歌を歌うのはオスのみである（ただし、岡ノ谷によれば、1,000羽の中に3羽ほど、ホルモンバランスが崩れた年取ったメスが歌ったというケースはある）。260年ほど前に、九州の大名がコシジロキンパラの強い繁殖力と子育て上手な性質を利用して、狭い籠の中で季節を問わず繁殖する鳥への交配を進めたようである。通常、野鳥の繁殖は難しいが、コシジロキンパラの家禽化は成功し、たくさん子どもをつくるので、十姉妹（ジュウシマツ）と呼ばれるようになった。そして、いまから170年ほど前に白地にブチの個体があらわれ、この白ジュウシマツが人気を得、いまにいたっている。

　コシジロキンパラの歌は8種類前後の音要素からなり、これを一定の

順番に並べて繰り返し歌う。これにたいして、ジュウシマツは8種類前後の要素のうちの複数を組み合わせたまとまり（これは固定された配列である）をいろいろな順番で組み合わせて歌う。また、ジュウシマツは高い音、低い音、耳障りな音、澄んだ音などいろいろに聞こえる音を組み合わせて歌うが、コシジロキンパラの歌は耳障りな音のみからなる。つまり、ジュウシマツの方が複雑な構造をもった、バリエーションに富んだ歌となる。

　この違いは、コシジロキンパラは父親の歌をそっくりまねして歌うが、ジュウシマツは父親以外のまわりにいるオスの歌の一部をも適当に切り取って組み合わせ、独自の歌をつくるということによる。野生種のコシジロキンパラが生息する環境では、似たような鳥（たとえばアミハラ）がたくさんいて、ほかの種と交尾すると、生まれた雑種の子どもは不妊となり、次の世代をつくることができない。それゆえ、コシジロキンパラのオスは忠実に父親の歌を学習し歌う。メスも、父親の歌をしっかりと記憶し、そうした歌を歌うオスとつがいになるようにする。もちろんオスの歌にも個体差は若干あるが、目立つと捕食されるリスクを背負うので、結果的に歌は複雑化されず、バリエーションのない歌になると考えられる。一方、ジュウシマツは結婚相手を飼い主が決めるので、違う種類の鳥と間違ってつがいになるということがない。しかも、ジュウシマツのメス（実験ではコシジロキンパラのメスも）は複雑な配列をもった歌を好む。ペットになったジュウシマツは、歌で種を認識する必要はなく、捕食者つまり敵に居場所を知られるリスクもないため、オスはメスの好みに合わせて歌を複雑にしていった。エサを探す時間も不要なので、いわば歌に磨きをかけることができる。その方がよりおおくの子孫を残せるのである。

　岡ノ谷は、こうした点が人間の言語の進化に当てはまると考える。ヒトは集団で生活し、自己とその集団を外敵から防衛するようになり、生活環境を安全で豊かなものにしてきた。岡ノ谷は、これを自己家畜化と呼ぶ。道具をつくり、集団で食糧を調達し、仲間であるかどうかを見極めるシンボルをつくったが、外敵に襲われるリスクが下がったので、求愛のための儀礼（ダンスや歌などの性的ディスプレイ）はどんどん複雑かつおおげさに

なった（ちなみに、新人が描いた洞窟画は生活の痕跡がない、音響のよい場所にあったので、歌や儀礼と結びついていた可能性はある）。こうして、定型的な音声しか出さなかった現生人類の祖先は、さまざまな音声を組み合わせて複雑な歌をつくった。ちなみに、歌を学ぶためには脳神経系における運動系と感覚系の密な協調が必要である。それは大脳全体をおおきくする方向に作用する。鳥類の中でも、歌を学ぶ種の方がそうでない種よりも圧倒的に大脳はおおきい。歌を学ぶことで大脳が発達し、認知機構全体の発達も促された。そして、求愛の文脈でのみ歌われていた歌が別の文脈でもつかわれるようになった（これはテナガザルでも観察されている）。複雑になった歌は文脈によってその要素や順番が変わるようになり、歌はいっそう文脈依存的になった。そして、ある文脈で歌われる歌と別の文脈で歌われる歌との間に共通部分があれば、その共通部分を切り取って対応させるようになった（たとえば、食事の文脈での「みんなで○○しよう」という歌と狩りの文脈での「みんなで○○しよう」という歌との対応関係に気づくなど）。こうした気づきの学習が累積し、具体的な状況に対応したより細かい音節がつくられ、その音節と意味との対応関係も認識され伝達されるようになった。こうして、複雑な言語が成立していった、というのである。これが、さえずりつまり歌の言語起源論である。

　この仮説にはいくつかの弱点があると思われる。とくに、性淘汰という点では、オスとメスの間にあったはずの差異がいかに解消されていったのかが、十分解明されていない。岡ノ谷は、メスがオスを選ぶだけでなく、オスがメスを選ぶようにもなって、歌はより複雑化していったと考えるが、この仮説を補強するデータは不十分のようである。ただ、人類進化のミッシング・リンクを解明する上で、人間という生物を鳥と対比するという視点は、魅力的なものではないだろうか。

column4　歌がうまい男性はかならず女性にもてるのか？

　「歌が巧みな男性は女性にもてる」と本文で述べた。しかし、これは厳密に正しいといえるだろうか。ここではあえて自己批判し、「歌がうまい男性はかならず女性にもてるのか？」について考えてみたい。

　歌が下手な私のひねくれた考え方かもしれないが、歌がうまい男性がかならず女性にもてる、とはいえなさそうである。女性にもてるために歌をうまく歌うようになったが、八方美人ならぬ八方美男子で、ひとりの女性を大事にしない人は、その女性から愛想をつかされるだろう。歌以外がまったくだめな男性も、遅かれ早かれ破局を迎えるだろう。性淘汰の観点に立てば、女性の方も子孫を残すために最善の選択をするはずであり、歌がうまいだけの男性を選ばないのではないだろうか。そもそも、すべての女性がおなじ歌や歌い手を好むわけでもないだろう。歌の巧拙の評価にも個人差が入る余地はある。だから、歌の下手な男性諸君、めげないでいきましょう。

　人間は複雑な生き物である。後天的な文化の介在度がきわめておおきい。また「蓼食う虫も好き好き」という諺があるように、好みの差があり、個性や多様性にも富む。性は人間においても重要な特徴であるが、「壊れた生き物」にとって性がどの程度生物学的に固まっているといえるのか、私はいささか疑問に思っている（コラム1に関しても）。ひょっとすると、第11章で触れる第3のジェンダーやベルダシュ的な存在が、言語をめぐる男女差解消の鍵だったのかもしれない、とも想像するのである。

主要文献

クラストル，ピエール
　1987　『国家に抗する社会──政治人類学研究』、渡辺公三訳、水声社。
長谷川　眞理子
　2020　『ダーウィン　種の起源──未来へつづく進化論』、NHK出版。
岩田　誠
　2017　『ホモ・ピクトル・ムジカーリス──アートの進化史』、中山書店。
小林　武彦
　2021　『生物はなぜ死ぬのか』、講談社。

町田　健
　　2004　『ソシュールと言語学』、講談社。
小川　洋子・岡ノ谷　一夫
　　2013　『言葉の誕生を科学する』、河出書房新社。
岡ノ谷　一夫
　　2003　『小鳥の歌からヒトの言葉へ』、岩波書店。
　　2010　『さえずり言語起源論──新版　小鳥の歌からヒトの言葉へ』、岩波書店。
理化学研究所脳科学総合研究センター（編）
　　2007　『脳研究の最前線（上）（下）』、講談社。
斉藤　成也・諏訪　元・颯田　葉子・山森　哲雄・長谷川　眞理子・岡ノ谷　一夫
　　2006　『ヒトの進化　シリーズ進化学5』、岩波書店。
戸田山　和久
　　2014　『哲学入門』、筑摩書房。
吉田　重人・岡ノ谷　一夫
　　2015　『ハダカデバネズミ──女王・兵隊・ふとん係』、岩波書店。

鈴木　俊貴
　　2020　「ヒガラはシジュウカラの警戒声から天敵の姿をイメージできることを解明
　　　　　──鳥類における他言語理解」
　　（https://www.kyoto-u.ac.jp/sites/default/files/embed/jaresearchresearch_results2020documents200515_101.pdf）

第6章
情報をめぐる論理と倫理

ホンモノはどっち？

　ここからの3つの章では、人類文化を学ぶ上での「情報リテラシー入門」とでもいうべき内容を取り上げたい。第2章で述べたように、信頼できるデータをもとに論理的に組み立てられていない議論は、科学や学問の名に値しない。この章では、数値化されたデータの収集・処理とそれにもとづく議論構築についての基礎を確認し、第7章では因果関係の設定について取り上げる。そして、第8章では、考古学を例に取り上げ、データの慎重な収集・分析の具体的なあり方をみていくことにしたい。

情報リテラシー
　コンピュータの処理能力の向上とインターネット環境の整備により、われわれが手にする情報は飛躍的に増大した。しかし、それに伴って情報の質が向上したとはかならずしもいえず、質はむしろ千差万別になっているといってよい。だからこそ、妥当な情報と誤った情報とを見分けるという意味での情報処理能力が、現代社会ではより重要になっている。ここでいう「情報リテラシー」とは、こうしたいわゆるソフト面での情報処理能力

を指す。マスコミ・政治家・研究者などが発信する情報の質や妥当性を見極め、論理的に物事を考える力を養うことは、今後勉強を進めていく上でというよりも、むしろこの情報洪水の社会に生きていく上で、重要である。

　ただし、以下では、その基礎のさわりの部分を紹介するにとどめる。本章のポイントは、データを数値化するのは人間であり、そこに恣意性・バイアス（偏向）・誤謬が入り込む余地がある、という点である。

強制選択

　まず、谷岡のいう「強制選択」(forced choice) について取り上げよう。強制選択とは、あらかじめ特定の選択肢のポイントが高く（または低く）なるように調査の質問がつくられていることである。そうした調査データは、現実を反映したものとして受け取ることはできない。ただし、完全にニュートラルな質問項目の設定がつねに可能である、とも考えられない。その点では、社会調査・世論調査が何らかの偏向や恣意性をもちうることを認識し、データを批判的に見ていくことが、重要である。

　かつて、ブータンの国民総幸福度（Gross National Happiness；GNH）が注目を浴びた。国民の97％が幸せと感じている、というニュースは、日本でも話題になった。しかし、そのもととなった2005年の国の調査は、「とても幸せ」(very happy)（45％）、「幸せ」（52％）、「あまり幸せでない」(not very happy)（3％）という3つの選択肢によるものであった。幸せの方の選択肢が2つ、幸せでない方の選択肢が1つであり、これでは選択肢のバランスが取れていない。これは強制選択の例といえる。ちなみに、2010年からは選択肢が改善され、幸せと感じる人は41％に減ったという。

　次に、岩本裕が挙げる例をみてみよう。2014年5月12日の読売新聞朝刊の1面トップには、世論調査結果として「集団的自衛権　71％容認、「限定」支持63％」と伝える記事が掲載された。この記事では、集団的自衛権を「日本と密接な関係にある国が攻撃を受けたとき、日本への攻撃とみなして反撃する権利」とした上で、政府はこれまで憲法上この権利は行使できないとしてきたが、この集団的自衛権について「あなたの考えにも

っとも近いものを1つ選んでください」という質問をした、その結果が記されている。「全面的に使えるようにすべきだ」が8%、「必要最低限の範囲で使えるようにすべきだ」が63%、「使えるようにする必要はない」が25%、というのが調査の結果であった。

　この調査にも、選択肢の設定上の疑問がある。「必要最低限の範囲で使えるようにすべきだ」に、どちらかといえば使えるようにした方がよいという立場と、どちらかといえば使えるようにはしない方がよいという立場の、両方の意見が入る可能性があり、それを記事では「支持」とみなしている。ほかに、質問に前提をつくっているという問題もある。集団的自衛権が何であるかの説明を付して調査することで、被調査者がこの説明に引っ張られる可能性がある。ただ、集団的自衛権の解釈にはいろいろな立場があったので、とりあえずこの問題は措いておこう。

　ちなみに、毎日新聞が同年5月に行った世論調査では、賛成の選択肢が2、反対の選択肢が2であり、賛成の方が39%、反対の方が54%であった。その一方で、毎日新聞は4月に3択の調査もしている。集団的自衛権行使について、「全面的に認めるべきだ」12%、「限定的に認めるべきだ」44%、「認めず」38%であったが、新聞の見出しは「限定容認44%」であった。なお、毎日と読売の間では、限定容認に当たる割合に2割ほどの差がある。おそらく、毎日が「限定的」と表現し、読売が「必要最低限」としていることが、ここに関わっていると考えられる。必要最低限であればやむを得ないという判断をした人が一定数いたのであろう。このように、選択肢のバランスだけではなく、項目の表記内容も、選択を左右（強制）させるひとつのポイントとなりうる。NHKなどは、同様の調査をする場合に「わからない」という中間に相当する選択肢を設ける傾向がある。日本人は中間的選択肢を選ぶ傾向があるとする議論もあり、中間的選択肢を入れるかどうかも、結果の数字をある意味で左右するポイントとなる。

　このように、マスコミの行う調査を慎重かつ批判的にみる必要がある。付言すると、新聞・テレビ・ネットなどのメディアは、いま話題のテーマが何かを規定する力をもっている。これはアジェンダ（議題）設定機能と

いう。大衆は、特定の価値判断を押し付けられなくても、特定の話題設定についてはメディアの影響を受ける。紙面や時間にかぎりがあるため、あるテーマが注目されれば、別のテーマは注目されなくなる。これも、ある種の強制選択につながるといえる。

母集団・ダークフィギュア・誤分類

　次に、社会調査の例を挙げよう。シェア・ハイトは、アメリカ人の性について世論調査を行い、『ハイト・レポート』と呼ばれる著書を書いた。しかし、この調査には致命的ともいえる問題があった。ハイトは、2回の世論調査でデータを収集した。1回目の調査は、こうした調査に気軽に応じてくれそうな女性運動グループや女性雑誌などの組織を中心に、約10万通の調査用紙を郵送するというもので、約3,000通を回収した。2回目の調査は、11万9,000人の男性にやはり郵送で調査し、7,000通を回収した。ハイトは、回答数のおおさをもって、そのデータが信頼しうるものだと考えていた。そして、たとえば回答の70％が配偶者以外と性交渉をもったことがあると答えているので、この数字が大衆全体に適用できると考えていた。しかし、女性を対象としたこの調査では、特定の母集団がサンプルとして選ばれている。また、女性と男性の回収率がそれぞれ3％と6％という数字では、統計学的には有意なデータとならない。性的な関心のある人が回答を寄せ、特段そうでない人は回答しなかった可能性も考えられる。したがって、この調査結果を社会全体の傾向の反映とみなすことはできない。ABCテレビとワシントン・ポスト紙が1987年に同様のテーマで世論調査を行ったところ、ハイトの調査結果とほとんど反対の結果が出た（こちらは、サンプルは1,500だが、回答率80％で、統計データとしてはより信頼できる）。回収率は調査を行ってみなければわからないところもあるが、最初のサンプリングが偏っていればそのデータはそもそも有効なものとならない。それゆえ、現在では、世論調査の際、ランダムに調査対象者を選出し、数はおおくなくても社会全体の傾向を反映するように母集団を設定するようにしている。

ダークフィギュア（暗数とも訳される）は、統計上の数値には表れてこない数値や量のことである。わかりやすい例として犯罪統計が挙げられる。実際に起こった犯罪件数と、警察などが把握し犯罪件数としてカウントするものとの間には、差があると考えられる。第2章で、デュルケムの議論では自殺率の算出が自殺未遂を含めずに行われているという批判があったことに触れた。これも、ダークフィギュアに関わるものである。
　別のトリビアルな例を挙げよう。ジョエル・ベストによれば、ある全国調査で、アメリカ人の成人の2%はエイリアンに誘拐されたことがあるという推定値が出た、という報道があった。さて、この調査はどのような根拠にもとづいたものだったのだろうか？
　「あなたはエイリアンに誘拐されたことがありますか」といった質問をしたのかというと、そうではない。調査者側は、誘拐されたことがある人は、誘拐されたという自覚をもっていなかったり、その経験について語りたがらなかったりするため、単刀直入な質問には正確に答えられない、あるいは答えようとはしない可能性がある、と判断した。もちろん、ここには恣意的な選択――できるだけおおくの人を「誘拐された」方に加えたい――が働いている。そして、調査者側は、エイリアンに誘拐されたことがあるという人たちの証言にしばしば出てくる5つの指標ないし兆候を見つけた。たとえば「目覚めると体が麻痺していて、部屋の中に見知らぬ人間がいる、何かがある、という感じがした」などである。どうということもないとも考えられる、そうした5つの兆候について尋ね、4つ以上の兆候を報告した人は、おそらくエイリアンに誘拐されたことがあるのだろう、と判断したのである。その結果、人口の2%、約370万人が誘拐された、という推定となったのである。
　こうした調査がいかなる社会的意義をもつのか、という問題はさて措き、この例について考えておきたいのは、もし5つすべてを報告した人を誘拐された人と判断していれば、誘拐されたとされる人の割合はよりちいさくなっただろうし、「エイリアンに誘拐された」と述べる人のみを誘拐された人と判断すれば、数値はさらにちいさくなっただろうという点である。

統計において、幅広くカウントするのか、狭くカウントするのかで、相当な違いが出てくる。広くおおくカウントする場合を正への誤分類、逆に狭くすくなくカウントする場合を負への誤分類、という。とくに社会現象に関する統計については、そうした誤分類の可能性を見極める必要がある。

さて、仮に調査において偏りのないサンプルを抽出していたとしても、抽出しなかったサンプルを含めて考えておくべき場合はある。第8章では考古学に関してその例を挙げるが、ここでは別の例として、ひとつのエピソードを取り上げたい。ウォールドというアメリカの数学者は、第二次世界大戦中に、軍から爆撃機の生還率を向上させるために何ができるかを訊かれた。彼は、防護のための装甲板を大事なところに追加すればよいと考えた。爆撃から帰還した機体の弾痕の位置を調査したところ、主翼や胴体などにおおくの弾痕があることがわかった。

では、ウォールドは、どこに防弾装甲板を追加するのがよいと結論づけただろうか。答えは、胴体や主翼ではなく、弾痕がほとんどない場所であった。すなわち、操縦席や尾翼の一部であり、1発でもそこに被弾すれば致命的となる箇所である。調査の対象となった戦闘機は、すべて帰還した機体であり、帰還できなかったものがどこに被弾したかを彼は考えたのである。このように、サンプルに選ばれなかったものを含めて考えることが、場合によっては重要なのである。

捏造・改竄・盗用

2014年に、理化学研究所のO氏が中心となったSTAP細胞に関する研究論文の疑惑が話題になった。その影響は、O氏の博士論文の取り下げにも波及した。いずれにも、他者の議論を勝手にもちいた箇所があったとされた。これは盗用あるいは剽窃という。ほかに、データの改竄や捏造の疑惑もあった。O氏はその一部を認めたが、故意や悪意によるものではなかったと主張した。

2019年には、ミッション系のある女子大学の院長（理事長）Fが、院長・教授の職を懲戒解雇された。2012年刊行の著書において、存在しな

い論文1件を文献とし引用していたのである。データでなく、架空の著者・論文を捏造するというのは、通常では考えられない不正である。ほかに、記述の中に盗用が10箇所あった。研究者として確かな地位にあった人物である。しかも、彼の研究分野は神学・思想史であり、倫理学とも深く関係する。大学の調査・決定を受け、出版社は当該著書を絶版とした。

　研究者に限らず、学生が卒業論文を書くなどの場合も含め、研究活動に関わる上で絶対にしてはいけないのが、捏造（fabrication）、改竄（falsification）、剽窃／盗用（plagiarism）である。アメリカでは、これらを合わせてFFPと呼んでいる。日本でもアメリカでも、この3つは科学における主要な不正行為とされる。文部科学省のガイドラインによれば、①捏造は、存在しないデータや研究結果等をつくること、②改竄は、研究資料・機器・過程を変更する操作を行い、データや研究結果等を真正でないものに加工すること、③盗用は、他の研究者のアイディア・方法・データ・研究結果・論文等を当該研究者の了解や適切な表示なく流用すること、である。簡単にいえば、①はゼロからデータをでっちあげること、②はデータを改変すること、③は違法なコピー＆ペーストである。故意ではなく、不注意によるものであっても、それが結果的にこれら3つの重大な不正行為に当たるとなれば、責任は問われることになる。O氏の疑惑がおおきく報道されたことや、科学研究に拠出される公的資金の不正使用がしばしば起きていることもあって、研究上の不正行為への対処は厳しくなっている。今後は、日本でも、大学生の不正行為（卒論でのFFPなど）には、退学やさかのぼっての学位剥奪など、厳格な処分がなされるようになっていくかもしれない。

　記憶に残る捏造の例として、考古学者Fの日本旧石器捏造事件がある。Fは、「神の手」をもつともいわれるほど、発掘現場で重要な旧石器の破片を繰り返し発見してきた人物である。しかし、2000年に、疑念をもったある記者が現場に張り込み、夕方Fがひとりで現れ、自身の所有する石器片を埋める一部始終を確認した。翌日Fがそれをみなの目の前で発見し、またしても新たな旧石器を発見したのか、ということになったのだ

が、その新聞記者がFに尋ねたところ、彼は捏造を認めた。記者はこれをスクープとして報じ、その後、日本考古学協会がFの捏造に関する調査委員会を設置して究明した結果、捏造は動かしがたい事実と認定された。それによって、彼の成果をもとに高校の教科書にも記載されていた、日本の先史時代に関する考古学的成果は、すべて白紙に戻された。Fは勤め先の研究所をやめ、日本考古学協会からは除名処分を受けた。

　実は、専門家の中には、Fが発見する石器は旧石器とは別の時代の遺跡で発見される石器に近いという疑問を抱く者もいた。しかし、旧石器時代の石器が日本では希少であり、比較の対象があまりないため、層序論――地層の下ほど古い時代であるという原則から、地層の新旧関係を同定する――にしたがえば彼の発見した石器はその時代の石器であるということを覆すに十分な意見にはなりえなかった。また、当初は複数の石器がほぼ一直線に並んで出土するという状況がおおく、その不自然さから、旧石器時代の証拠という見解に否定的な意見も出されたが、その後は出土状態の不自然さはなくなり、こうした問題は立ち消えになっていった。捏造者が対策を立てたのである。なお、マイクロチップ――石器製作の際に出る、ちいさく割れた石くず――が出土するかどうかを調べれば、捏造かどうかを判断するひとつの手掛かりは得られたであろうが、これは遺跡の土壌を採取し、洗って調べるという、時間も手間もかかる細かい作業を必要とするので、発掘グループは行っていなかった。そもそも、誰もそうした巧妙な捏造が行われているなどとは思わなかった。

　さらに、Fの調査チームの発掘については、以前からある問題が指摘されていた。すなわち、ほとんどの現場について、きちんとした発掘報告書が作成されていなかったのである。考古学では、発掘のあとに正確なデータを記した報告書を作成しなければならない。発掘現場にある遺跡は、吉野ヶ里などのように例外的に貴重なものを除き、保存されないからである。発掘は、通常、その土地を何らかの目的で利用するために事前に行われるものである。研究者たちは、発掘中の現場説明会を除けば、報告書によってその遺跡を知るしかない。したがって、報告書こそ、遺跡に関する正

確なデータの所在である。ところが、Ｆらは報告書の作成を後回しにして、次々に新たな現場で新たな「発見」を行っていた。その点で、彼の捏造は、ある意味で半歩の捏造というべきかもしれない。正式な報告書を捏造したのではないからである。おそらく報告書は書けなかったのであろう。彼は、発掘作業において既成事実を積み重ね、それがマスコミを通じて報道され、ますます抜けられなくなり、過ちを繰り返してしまったのであろう。

2005年にはソウル大学獣医学部教授Ｆによる、『サイエンス』誌掲載論文のデータ捏造事件が世界的なニュースになった。

この事件の背景には、ノーベル賞受賞者を出してない韓国が、バイオテクノロジーの分野で先端的な研究をしていたＦに期待し、例外的に巨額の研究費を出していたことがある。彼は、国民や国家が期待する中、思ったような実験結果が出ず、国が研究費を打ち切りにするかもしれないという情報を得ていた。期待の重圧、焦り、そしてこの研究費打ち切りの可能性が重なり、データ捏造の不正に手を染めてしまったようである。

私は、この捏造にはもうひとつの背景があると考えている。それは、獣医学者であった彼が、人間を研究対象とする上で、人間の尊厳や生命倫理の問題を十分自覚していなかったのではないか、という点である。たとえばＦは、遺伝的な難病に苦しむ患者に、自分がかならず病気を治すから、ぜひ体細胞や遺伝子を提供してほしいと述べ、おおくの提供を受けていた。脊髄損傷で歩くことができない少年から歩けるようになるかと訊かれ、Ｆがかならず歩けるようになると断言し、その自信あふれる態度から男の子が明るさと元気を取り戻し、体細胞を提供したこともあった。しかし、そうした態度は、患者にたいする安請け合いと紙一重であろう。彼の実験が成功したとしても、それが実用化されるようになるまでには20年かそれ以上かかると考えられていたからである。また、Ｆは、研究チームの女性スタッフに卵子の提供を要求していた。8人の女性研究員が卵子を提供したが、その1人は、この方法は正しくなかったが、Ｆらに逆らえなかった、と述べていた。Ｆは、産婦人科医の協力を受けて、実験用におおくの卵子の提供を受けていたが、数が足りなくなっていき、苦肉の策としてチーム

スタッフに頼んでいたのである。日本ではそうした卵子の提供はできないが、当時の韓国ではその種のルールが緩く、比較的自由に人間の卵子をつかえる状況にあった。Fは、当初動物をつかった実験で成功していた方法を人間の卵子に適用しようとしたが成功せず、結果的に不正行為に走ってしまったのである。付言すると、2007年に京都大学の山中伸弥教授が編み出した、ヒトの人工多能性幹細胞（induced pluripotent stem cells；iPS細胞）——多能性は、さまざまな器官を構成する細胞に分化する能力を意味する——を培養する技術は、生命になりうる卵子の使用という倫理的問題を当初からクリアしている点で画期的であった。ただし、Fが取り組んでいた、胚性幹細胞（embryonic stem cells；ES細胞）からさまざまな細胞をつくるという方法が時代遅れの方法になったわけではない。

2009年にソウル中央地裁において、Fにたいする判決が下った。多額の公金を、捏造したデータにもとづく研究にもちいた詐欺罪に当たるかどうかを問うた裁判であったが、公金の私的流用はなく、懲役2年執行猶予3年となった。現在、Fはおもに国外で動物のクローンに関する研究活動に従事している。

盗用の例はたくさんある。たとえば、さわやかな弁舌でテレビでも人気だった小説家のT（故人）は、1993年当時に雑誌に連載中であった小説が盗作であることを認めて謝罪し、一時期マスコミに出ることを自粛した。この作品は、構成や物語を変えて1998年に別の雑誌で連載され、単行本化され、2001年には映画化もされた。2006年には、日本人画家Wにたいする疑惑がマスコミで指摘され、文化庁がいったんWに授与した2005年度の芸術選奨を取り消すということもあった。

捏造・改竄・盗用は絶対にしてはいけない。また、学問の世界では、情報源や参照した文献・資料を正しく明記すれば、盗用には当たらず、著作権問題もいちおうクリアされていると考えてよい。第2章でも触れたように、学問は既存の研究成果の上に立って、世代をこえて共同で進めるべきものであって、誰の研究も参照しないまったくのオリジナルというものはありえないからである。ここに、学問と、オリジナリティが要となる芸

術との違いがある。それゆえ、学問では参考文献や資料をきちんと示すことが重要になる。これは、レポートを含めた学問的作業における必須の手続きである。

科学者の過ちと社会的悲劇

　学術における不正や倫理にもとる行為は、ときに人々の運命をおおきく変える悲劇にまで発展する。その具体例を2つ挙げておきたい。

　ひとつは、旧ソ連のルイセンコ事件である。ルイセンコは、19世紀末にウクライナの農夫の子として生まれ、農学博士となった。彼は1929年に「春化現象」を発表し、ソ連社会の注目を浴びた。春化現象とは、冬小麦を水に浸して冷やすと春に栽培でき、春小麦よりもおおくの収穫が得られる、というものである。彼はこれを獲得形質の遺伝継承と捉えたが、現在この点は否定されており、むしろこれはエピジェネティクス現象——遺伝ではないが、次世代にその特徴が継承される——として理解される。当時、彼の主張を否定する専門家はいた。また、春化現象は彼の独自の発見ではなく、昔から農夫がもっていた技術であったが、彼は収穫を飛躍的に高めることができる技術だという点を科学者として主張したのであった。当初の共産党は、専門家による議論を尊重する姿勢を示しており、食糧生産を向上させる具体的な手段を提示したルイセンコの学説を専門家たちが検討することを期待していた。しかし、ルイセンコに追従する意見を述べる者はいても、正面からこれを疑問視し批判する議論は提起されなかった。国家の官僚は、農業の改善という課題の検討をルイセンコに依頼し、ルイセンコとその支持者たちは着々と足場を固め、反対派を追放していった。共産党は、その後、党と異なる見解をもつ「ブルジョア専門家」の撲滅を命じるようになった。とくに遺伝学者は、ルイセンコの議論に妥協することが難しかったため、おおくが辞職を強いられ、ソ連社会から追放された。1935年に35人いた遺伝学者は、1940年にはわずか4人となり、すべてがルイセンコ派となった。しかし、このころから、ルイセンコの主張する技術が実際のところ農業生産の向上をもたらさないのではないかという

疑念が共有されるようになった。ただし、それが公式に認識され、政策が転換されるのは1960年代になってからである。ルイセンコは、科学的には不十分なデータにもとづいた農業技術を政策として広め、権力を握って、農業生産性向上という国家の重要課題を停滞させ、あるいはねじまげたのであった。

　もうひとつは、アメリカの心理学者によるIQ（知能指数）の調査・研究である。IQを考案したのはフランスのアルフレッド・ビネである。彼は、IQは生得的な能力を明確にするものではなく、低い得点が当人の知能の低さを意味するわけではないこと、得点等級はおおまかに学習障碍のあることを見極めそうした子どもを助けるための指針であって、普通の子どもたちを測るためのものではないこと、を基本原則として設けていた。ところが、アメリカでは、こうした基本原則が忘却されてしまい、IQテストが一般の人々を優秀な者とそうでない者とに分類し、既存の階級構造を正当化する道具となってしまった。こうした誤用――ビネの趣旨に照らしていえば――に関与した心理学者は何人もいる。そのひとりが、スタンフォード大学の心理学者ターマンである。彼は、IQテストを「改良」し、それ以降のIQテストの基本モデルをつくった。ただ、彼は、知能検査を、悪い遺伝子をもった人々を区別する手段であるとみなす視点をもち、知能の高低は遺伝的なものであって生後に変わることはほとんどない、将来的にすべての人々に知能検査を受けさせることによって、知的に欠陥をもった人々を社会の保護と監視の下におき、彼らの再生産を防ぐことによって、生産効率を上げることができる、といった考えをもっていた。いまからみれば偏見といわざるをえないが、当時の心理学者は遺伝主義的な認識をもち、それが人種／民族差別と結びついていた[※5]。検査結果が彼らの想定する人種や民族の違いと対応しない場合、データの改竄や捏造を行う者もいた。アメリカ陸軍が心理検査を新兵に実施すると、心理学者はこの200万人近い軍人のデータをもちいて、北欧系の人々の知能が東欧系や南欧系の人々よりも上であり、黒人は最下位に位置する、といった「事実」を提示した。だが、軍の検査は短時間に手順を無視して行われたものであ

ったので、その結果は有意義なデータとはいえないものであった。

　ナチスは数百万人ものユダヤ人を殺害した。また、おおくのロマ（ジプシー）や同性愛者を強制収容所に送り、同性愛者や障碍者には断種つまり精巣を除去する措置も取った。優れた民族（当時は人種とも表現された）を残し、劣った人々の子孫は残すべきではない、という優生思想にもとづくものであったが、そうした思想は、ナチスと第二次世界大戦で戦い勝利したアメリカ合衆国にも確実にあったのである。

column 5　軍事機密情報に隠蔽やウソはつきものである？

　第2章では、世界に存在する核兵器の正確な数や精度などに関するデータは公開されていないと述べた。それだけではなく、そもそも核兵器に関するさまざまな情報が、当然かもしれないが、政府によって公開されていない。たとえば、核実験による兵士や民間人の被曝の実態は、それゆえ明確ではない。ただし、その一部の情報は、マスメディアやジャーナリストによって報道されたり暴かれたりしている。たとえば、「アメリカ　核実験　被曝」で検索すると、そうした情報の一端にアクセスできる。

　ジョン・ミッチェルによれば、米軍基地が集中する沖縄では、核兵器が持ち込まれていただけではなく、すくなくとも2つの核爆弾が近海に沈んだままとなっている。ひとつは1959年に那覇空軍基地から誤射されたミサイルの実弾であり、もうひとつは1965年に海上航行中の空母から転落し水没した航空機に搭載された核爆弾である。いずれ

※5　文化相対主義の考え方を広めることに貢献したアメリカの人類学者フランツ・ボアズは、こうした人種論を実証主義的研究にもとづき批判した。彼は、移民とその子どもたちの頭蓋骨のおおきさの変化を調べ、アメリカにやってきた移民よりもその子どもたちの頭蓋骨がかなりおおきくなっていること、しかも、移住後すぐ生まれた子どもたちよりも移住後10年以上たって生まれた子どもたちの方が、変化の度合いがよりおおきいことを発見し、この変化が環境の影響によるものであると論じた。環境が変われば、短期間で身体的な特徴もおおきく変わる。そうした環境による変化という要素を無視した単純な人種決定論は誤りである、としたのである。

も回収されておらず、腐食による放射能漏れが懸念されるが、日本政府は沈黙している。アメリカ国防総省は、後者の事故を16年間封印し、事故発覚後には陸地から800キロメートル以上離れていたと主張した。しかし、その後、海軍文書から事故が琉球諸島の東130キロメートルの地点で発生したことがわかっている。

　こうした軍事機密情報については、政府が情報を出さないから事故や問題はないのだと考えてはいけないし、政府が出す情報がウソかもしれないという可能性を考えて、われわれはしかるべく行動するしかないであろう。むろん、政府とは異なる出所の情報が真実かどうかを的確に判断することも、同様に必要である。正確な情報を把握し、論理的に考察し、倫理と正義感をもって、われわれはこの情報社会を生きていかなければならない。

主要文献

ベスト，ジョエル
　2002　『統計はこうしてウソをつく――だまされないための統計学入門』、林大訳、白揚社。
　2007　『統計という名のウソ――数字の正体、データのたくらみ』、林大訳、白揚社。
ブロード，ウィリアム＆ニコラス・ウェイド
　2006　『背信の科学者たち――論文捏造、データ改ざんはなぜ繰り返されるのか』、牧野賢治訳、講談社。
デュードニー，A. K.
　1997　『眠れぬ夜のグーゴル』、田中利幸訳、アスキー。
ハイト，シェア
　2000　『オーガズム・パワー――真実の告白／ハイト・リポート』、石渡利康訳、祥伝社。
星乃　治彦
　2006　『男たちの帝国――ヴィルヘルム2世からナチスへ』、岩波書店。
岩本　裕
　2015　『世論調査とは何だろうか』、岩波書店。
神里　達博
　2020　『リスクの正体――不安の時代を生き抜くために』、岩波書店。
マッキンタイア，リー
　2020　『ポストトゥルース』、大橋完太郎監訳、人文書院。

三春　充希
　　2019　『武器としての世論調査——社会をとらえ、未来を変える』、筑摩書房。
ミッチェル，ジョン
　　2018　『追跡　日米地位協定と基地公害——「太平洋のゴミ捨て場」と呼ばれて』、阿部小涼訳、岩波書店。
仲野　徹
　　2014　『エピジェネティクス——新しい生命像をえがく』、岩波書店。
沼崎　一郎
　　2006　「文化相対主義」、綾部恒雄（編）『文化人類学20の理論』、pp. 55-72、弘文堂。
太田　好信・浜本　満（編）
　　2005　『メイキング文化人類学』、世界思想社。
大竹　文雄
　　2019　『行動経済学の使い方』、岩波書店。
大湾　秀雄
　　2017　『日本の人事を科学する——因果推論に基づくデータ活用』、日本経済新聞出版社。
坂井　豊貴
　　2015　『多数決を疑う——社会選択理論とは何か』、岩波書店。
谷岡　一郎
　　2000　『「社会調査」のウソ——リサーチ・リテラシーのすすめ』、文藝春秋社。
　　2007　『データはウソをつく——科学的な社会調査の方法』、筑摩書房。
立岩　陽一郎・楊井　人文
　　2018　『ファクトチェックとは何か』、岩波書店。

文部科学省
　　2014　「研究活動における不正行為への対応等に関するガイドライン」
　　（http://www.mext.go.jp/b_menu/houdou/26/08/__icsFiles/afieldfile/2014/08/26/1351568_02_1.pdf）
NHKスペシャル
　　2006　「論文捏造　夢の治療はなぜ潰えたのか」、2006年8月20日放送。
　　（https://www6.nhk.or.jp/special/detail/index.html?aid=20060820）

第7章
因果論と少年犯罪

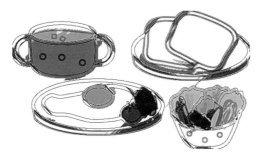

朝ごはんを食べる子どもは成績がよい?

因果関係と相関関係

　この章では、因果関係について考えることにしたい。データ分析において、とくに設定された変数間の関係づけを考えるときに重要なのは、因果関係を安易に設定しない、という点である。2つの事項の間に何らかの対応性がある場合、それを相関関係とさしあたり考えることはできる。しかし、相関関係があったとしても、そこに因果関係があるとは限らない。これが、この章の議論のエッセンスである。

　ひとつ、谷岡が挙げる例を検討してみよう。ある博士は、ダイエット食品の効用に疑問をもち、ランダムに選んだ男女1,000人ずつ、計2,000人に1日に食べるダイエット食品の回数と量を尋ね、各自の肥満度——この場合、（身長−体重）÷110で計算したもの——との関係をチェックした。すると、ダイエット食品を食べる回数がおおいほど肥満度が高い、そしてダイエット食品を食べる量がおおいほど肥満度が高い、という結果が判明した。博士は、ダイエット食品はあまり効果がないばかりでなく、

逆の効果すら観察される、と発表した。さて、この調査の結論について、読者はどう考えるだろうか？

意外に思う人もいれば、当然だと思う人もいるのではないだろうか。意外に思う人は、「ダイエット食品を食べると痩せる」という因果関係を暗黙の内に想定していたからであろうし、逆に当然と思う人は、そういった因果関係を想定していなかったからであろう。ひとつのポイントは、この場合のダイエット食品が何かである。谷岡はそれに言及していないが、ここでは、低カロリーでヘルシーだと考えられ流通している食品だと考えておこう。アメリカで日本食がブームになったのは、日本食がダイエット食品と考えられたことによる。だが、日本人にとって、寿司や刺身はヘルシーではあってもダイエット食品ではない。何がダイエット食品かについては、主観性や価値観の違いが介在する。そう考えれば、ダイエット食品を食べると痩せるという因果関係は論理的にかならずしも成り立たない、ということがわかる。

結局、この調査結果は、太った人がダイエット食品をたくさん食べていた、ということを示すものであったと考えられる。肥満度が高いから（普通の食品よりも好んで）ダイエット食品をよく食べる、しかしいくらダイエット食品であっても、食べすぎれば太るのである（一方、痩せた人はダイエット食品をそれほどおおくは食べないので、食品と肥満度の関係についての有意義なデータは得られない）。この調査では、ダイエット食品摂取と肥満度との間に逆向きの因果関係が認められる、ということになったが、むしろ重要なのは、本当にそうした因果関係が一般化できるのかどうかを、別の母集団で確認したり、おなじ条件の下で再検証したりすることであろう。設定を組み替えて調査を精緻化すれば、そこに単純な因果関係を認めることはできない、あるいはもっと複雑なかたちで相関関係がある、という議論に展開していく可能性がある。現実は複雑なのである。

別の例を挙げよう。文部科学省は2007年から毎年全国の小学6年生と中学3年生を対象に「全国学力・学習状況調査」を実施している。各自治体や教育委員会は、すこしでも順位を上げようとしており、そうした

対応自体が本来の趣旨とずれていることは問題であるが、それはさて措く。ここで考えたいのは、そもそもこの調査は何を調べているのか、である。教育経済学者の中室牧子は、この調査は学校教育の成果をはかる上でほとんど参考にならない、という。理由は明確である。第1に、学力を結果とすれば、それを左右する原因は、かならずしも学校だけではない。おおきく分ければ、学校側の資源（教員の数、質、設備、課外活動、宿題など）と家庭や本人の資源（遺伝、親の年収、学歴、家族構成など）とがあるが、ある研究によると、後者は学力に5割の影響力をもつ（また、中3時点の学力の35％が遺伝から説明できる、といった議論もある。つまり、後天的な環境の影響はかなりおおきいといえる）。ほかにも影響を与える要因はあるかもしれない。しかし、後者は政策の対象にならない、あるいはできない。政策担当者や世論は、いかに学校教育を改善して成績を上げるかという考え方をするが、それは、原因の側に属する複合的で複雑な要因を切り捨てているという点で、論理的に妥当なものではない。第2に、この学力テストを受けるのはおもに公立の小中学生であり、私立学校の参加度はまだ低い割合にとどまっている。東京都が都道府県別のランキング上位に位置しないのは、私立に通う児童・生徒が参加していないからである可能性がある。それゆえ、都道府県別の順位から政策に反映すべきいかなる有益な情報が得られるのかは慎重に検討する必要がある。第3に、この調査は厳密な意味での統計学的なデータとはいえない。総務省でも「意見・見識など、事実に該当しない項目を調査する世論調査など」という扱いになっているという。つまり、ある種あいまいなデータなのである。そして、それに毎年50億円以上の経費がかかっている。中室は、家庭の資源も調査してそれを組み込んだデータにする、あるいは教育政策に有効なデータになるような工夫をする、あるいは、50億円を別のより有効な政策につかうべきである——たとえば、学力の低い子どもへの少人数教育は有効であるという有意な結果が出ているので、そうした子どもたちに重点的に少人数教育をするなど——、としている。

　因果関係が安易に設定され教育政策に反映されているのではないか、と

いう点で、もうひとつの例を考えてみたい。2007年12月25日の毎日新聞には、「朝ごはんを食べている子どもほど成績がよい」という記事が掲載されていた。さて、この記事の見出しは、因果関係について触れているのだろうか。そもそも、朝ごはんを食べることと成績との間に、因果関係を設定できるのだろうか？

　たしかに、朝ごはんを食べることで、脳の集中力が高まったり、生活のリズムが整ったりする、といったことはあるだろう。ただ、朝ごはんを食べればかならず成績がよくなるのだろうか。「早寝早起き朝ごはん」ともいわれ、一般論としては、朝ごはんを食べることは大事であろう。しかし、朝ごはんを食べることと成績がよいこととの間に、原因・結果の関係は設定できないのではないだろうか。私はこう考える。朝ごはんを子どもがきちんと食べているような家庭は、おそらくしつけや生活リズムなど、ほかのことでもしっかりと子どもに気を配っている、そしてそうした家庭環境の中で育つ子どもは、勉強もきちんとできている、そうした傾向がある、ということではないだろうか、と。ただし、そこに明確な因果関係を設定できると主張したいのではなく、あるとすればそうした関係だろうといっているだけであるが。いずれにせよ、子どもが朝ごはんを食べるだけで、生活全体はいい加減である——たとえば、睡眠、遊び、人との対話も、食事とともに重要であろう——なら、おそらくだめなのである。このように、一見するとA（朝ごはん）とB（成績）の間に因果関係があるようにみえても、C（家庭環境）がAとB双方の原因である、という場合もありうるのである。

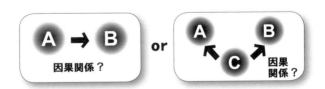

　人間とその文化や社会は複雑である。安易に因果関係を設定せず、よく吟味する必要がある。また、設定された因果関係や相関関係はあくまで仮

説にすぎず、検証や反証に開かれている。一例として、社会分断のネット原因説を検証した田中と浜屋の議論を挙げておく。

> **column 6** 朝ごはんを食べても成績は上がらない？
>
> 　本文では、朝ごはんと成績との間に因果関係があるかどうかという問題を検討した。ただし、これをきちんと検証するためには、朝ごはんを食べる子どもの集団と食べない集団を設定して一定期間調べる必要がある。しかし、そうした検証の実行は、倫理的になかなか難しいように思われる。
> 　ところで、ここには別の問題もある。仮にここに因果関係があると確定されたとする。そうなると、おそらくみなが朝ごはんを食べようとする。しかし、みなが朝ごはんを食べれば、全体が底上げされ、全員の成績が上がることはない。いまの学校の成績は絶対評価なので、評定が上がる子どもはいるだろうが、全員がトップの評定になることはないであろう。結局、上がる子どもと上がらない子どもとの差は、朝ごはんではなく個人に帰することになりそうである。さらに、また別の問題もある。取り残される子どもについてである。本人の個性や疾病上の理由から、朝ごはんが「食べられない」子どもはいる。こうした子どもを、朝ごはんを食べることを前提とした教育政策によって孤立させてはいけないし、それは差別やいじめにもつながりかねない。そして、仮にそうした事件が起きて訴訟になれば、因果関係の設定の是非にもメスは入るであろう。
> 　自治体の中には「朝ごはん条例」をつくったところもある。むろん、その趣旨は、朝ごはんを強制するものではなく、健康のために気をつけようという点にある。しかし、やはり朝ごはんと成績の間に単純な因果関係は設定できないし、すべきではない、と私は考える。

構造的因果性

　さて、単純な原因と結果の関係ではないが、ある種の因果関係に相当するものとして、ルイ・アルチュセールのいう「構造的因果性」がある。構

造的因果性とは、ある結果Yが生じたときに、さかのぼってXという原因を見出すことはできるが、XがあればかならずYという結果が生じるとは限らない、という関係のあり方である。アルチュセールは構造主義とマルクス主義とを媒介した思想家であったので、「構造」や「因果性」といった概念をもちいているが、重要なのは、通常の因果性という概念からむしろいったん離れて、現実の社会がもつ複雑なメカニズムの中にある単純ではない相関関係――あるいはアルチュセールがいう重層的決定――を捉えようとすることなのである。その場合に、この構造的因果性という概念は有効である。構造的因果性は、日常生活の中にありふれているといえる。しかし、しばしばわれわれは、構造的因果性を因果関係と取り違えたり、構造的因果性を因果関係に還元してしまったりしている。以下では、それを、ある事件を手がかりに考えてみたい。その事件とは、1997年の神戸市須磨区で起きた連続児童殺傷事件である。

　事件の概要を述べておこう。この年の2月に、小学6年生の女児2人が金槌で頭部を殴られるという事件が起きた（後日1名は死亡）。3月には5歳の女児が団地の階段から突き落とされ、小学3年生の女児がナイフで腹部を刺された。そして5月に、当時小学6年生の男子児童の首が切断され、中学校の校門に置かれるという事件が起きた。この首には犯行声明文が添えられていた。数日後、新聞社にも犯行声明が送付された。犯人は「酒鬼薔薇聖斗」を名乗った。この一種の挑戦状と猟奇的な犯行が注目を浴び、しかも、それが当時14歳の中学3年生による犯行だったということがわかり、世間は騒然とした。

　マスコミの報道も過熱し、インターネットでは酒鬼薔薇聖斗をいわば崇拝する少年少女たちの言葉が踊った時期もあった。逮捕された少年（以下、少年A）は、1997年10月に神戸家庭裁判所で医療少年院への送致が決まり、裁判は結審した。しかし、事件の余波はつづいた。こうした残虐な犯行に及んだ場合、たとえ14歳であっても犯した罪の償いをさせるべきではないかとする世論の後押しによって、2000年には、刑事処分の対象年齢を16歳以上から14歳以上に引き下げる、重大事件の審判では検察官

の立会いや裁判官による被害者の意見聴取を認める、などを含む、少年法の改正が50年ぶりに行われた。もっとも、彼の後にも残虐な少年の犯行はあった。そのひとつに、2004年6月に佐世保で起きた、11歳の小学6年生の女子児童による同級生女児の殺害事件があった。この事件を受けて、2007年11月には、少年院送致の年を「おおむね12歳」へとさらに2歳引き下げたり、14歳未満の少年が起こした事件にたいして警察の強制捜査権を与えたりする、さらなる法改正が行われた。その後も、罰則強化の方向での法改正はあった。凶悪犯罪の厳罰化という昨今の流れが、その背景にある。

　この事件は、犯罪と報道の関係——少年犯罪者の報道や被害者報道のあり方だけではなく、犯罪者がマスコミ報道を織り込んで猟奇的な犯行を行ったことも含む——、世論と司法改正の関係、インターネット社会における情報公開、そして新興住宅街の人間関係のあり方など、同時代の日本社会が抱えるさまざまな課題や問題を浮き彫りにするものであった。また、事件当時衝撃をもって受け止められたという点では、1968年の連続ピストル射殺事件や、1988～89年に起こった連続幼女誘拐殺害事件などとも対比し、時代状況に位置づけて考えるべきところがある。ただ、ここでは、そうした検討はさて措き、ひとつの問題に焦点を当てたい。少年Aの猟奇的な犯行の背景や原因についてである。

　少年Aの逮捕の後、マスコミにはさまざまな立場のコメンテーターが登場した。そのコメントのおおくは、家庭環境や親の教育を彼の精神的な病理の背景に設定し、そこから猟奇的な行動を理解しようとする、というものであった。少年Aについて正確で確実な情報をもつ関係者が公の場に登場し、不特定多数の人々に向けてあれこれ語ることはないはずなので、そうしたコメンテーターの発言を鵜呑みにする必要がないことは当然である。それよりも、ここで重要なのは、少年や少女によるショッキングな事件を家庭環境や親の教育に帰して考える説明自体、疑ってかかるべきところがある、という点である。こうした教育やしつけをすれば確実に子どもにこうした問題が生じる、そして、こうした病理があれば確実にこうした

罪を犯す、といった因果関係を設定することはできないからである。ここで設定しうるのは、せいぜい構造的因果性だけであろう。たとえば、少年Aの場合、母親がかなり厳しい人だったようであり、それが彼の精神の状態にマイナスの影響をもたらしたのでは、といった指摘があった。しかし、厳しくしつけることが彼の心身を強化していく可能性を信じたからこそ、母はそうした子育てを選んだはずであって、はじめからマイナスに作用することがわかっていたらそうはしなかったであろう。実際の育て方にどのような問題があったかは詳しい検証が必要であるが、すくなくとも、この種の評論は推測と結果論によるものである[※6]。また、逆に子どもを甘やかして育てることが子どもの成長を歪めてしまうこともありうる。ある犯罪が起きたときに、そこから遡及して背景や原因をあとから見出すことはできても、こうしたしつけをすればこうした人間に育つ、こうした育て方をすればこの種の罪を犯す可能性が高い、などといった単純な図式化はできないと考えるべきである。それゆえ、ある事件に関して原因や背景が特定化できたとしても、それを一般論としてマニュアル化し対応策とすることもまた困難なのである。

　しかし、当時のマスコミ報道では、こうした複雑なはずの背景を単純化して捉えているという問題があまり指摘されなかった。場合によっては、子育て中の親がそうした単純化された犯罪報道に接し、自身の状況に照らして絶望的になったりストレスを溜めたりすることにもなってしまう。人間や社会に安易で単純な因果関係は設定できない、ということを踏まえた報道がもとめられる。

※6　フロイトは、人間の欲動（リビドー）を性的・エロス的なものと破壊・攻撃的なものの相補的なバランスからなるとし、少年期に悪人だった者が青年期に善人に転換したり、少年期に利己主義だった者がのちに人助けを進んで行う献身的な市民になったり、少年期にサディストや動物虐待者だった者がのちに人道主義者や動物愛護者に成長したりする、と述べる。少年Aは動物を虐待していたので、彼は動物愛護者になった可能性があることになる。フロイトの議論を鵜呑みにするべきでもないが、人間のもつ攻撃的な欲動がいかにバランスよく回収されるかは、どのような育てられ方をしたかという点と、せいぜい構造的因果性しかもたないということはいえるだろう。

子どもと教育

　ここで、構造的因果性の考え方を、少年犯罪から子どもの教育へと拡大させて考えてみたい。われわれの社会において、教育は、このように育てればこのようなよい子・よい大人になるという、ある種の単純な因果連関を前提として捉えられているところがあるように思われる。もちろん、実際の教育学の議論はそのような単純なものではない。しかし、この社会では、複雑な連関を提示する教育学ではなく、規格化され手軽に利用できる教育「技術」が流通し、巨大なビジネスとなっている。たとえば、それは、受験ばかりでなく、大学生の就職塾や社会人向けの各種教育などに見ることができる。宣伝文句は、学校だけでは不十分だからこの塾で学んでいい高校・大学に入ろう、大学での学びでは足りないところをこの塾で学んでよき社会人になって就職しよう、就職している人はもっとスキルを身につけよう、管理職になったらコミュニケーション力に磨きをかけよう、といったものであり、そこにはこれを習得すればよくなるはずだという因果関係に近い論理が設定されている。こうすればかならず幸せな人生を生きられるという保証はなく、教育において万人に当てはまるマニュアルがあるはずないにもかかわらず、である。単純化されマニュアル化された教育技術は、人間の規格化と紙一重である。ただ、柄谷などによれば、近代国家が教育を義務化した背景には、国家にとって役立つ「国民」をつくり出すというある種の規格化を看取すべきなので、ことは教育ビジネスに限定されるわけではないということになるが。

　柄谷によれば、戦後のアメリカでは、教育論とフロイトの理論とが思わぬかたちで結びついた。フロイトは、神経症を幼児期の外傷体験（トラウマ的体験）によって説明しようとした。当人の意識の上では忘れられていても無意識に残る心の傷が、のちに困難に直面したときに精神的な障碍をもたらす原因になる、というのである。むろん、これも構造的因果性のひとつである。神経症になった人について、さかのぼって外傷体験を探し、これを解釈し、治療に役立てることができるということであって、外傷体験があればかならず将来神経症に陥るというわけではないからである。と

ころが、アメリカの教育論では、構造的因果性にもとづくフロイトの議論が、因果論にもとづくものへと曲解されてしまった。こうして、子どもを抑圧状態におくと将来神経症になってしまうかもしれないという、フロイト解釈としては誤った育児理論が支配的になった。この考え方は、フロイトのものと異なっているばかりではなく、論理的におおきな矛盾を抱えている。できるかぎり幼児期から抑圧をもたらす葛藤や矛盾を取り除いておこうとすると、大人が生きるリアルな世界とは異なる理想的な（と大人が考える）環境――たとえば動物や妖精と交流するおとぎ話のような世界――を子どもの世界として設定し、そこで子どもの情緒を育むという教育実践が採用されることになるが、その中ですくすく育った子どもも、やがてリアルな――嘘や偽りに満ちた――大人の世界に入っていかざるをえず、そのときに味わうギャップはおおきくなるはずだからである。もちろん、それも構造的因果性であり、あくまで可能性の問題にすぎないが。

おわりに

　昨今の報道では、少年の凶悪犯罪において、その背景がまことしやかに語られることはすくなくなったように思われる。それは、慎重な報道がなされるようになったということかもしれない。家庭環境、地域の絆、教員の資質、学校の体制など、さまざまな背景はあるだろうが、それらと犯罪との間には、構造的因果性を想定することはできても、因果関係を一般論として安易に設定すべきではない、ということをあらためて確認しておきたい。教育や人の成長は、複雑な連関から成り立つものなのである。

主要文献

アルチュセール，ルイ＆エチエンヌ・バリバール
 1997 「『資本論』の対象」、アルチュセール他（編）『資本論を読む（中）』、今村仁司訳、pp. 15-288、筑摩書房。
フロイト，ジークムント
 2008 『人はなぜ戦争をするのか――エロスとタナトス』、中山元訳、光文社。
林 恭子
 2021 『ひきこもりの真実――就労より自立より大切なこと』、筑摩書房。
本田 由紀
 2014 『社会を結びなおす――教育・仕事・家族の連携へ』、岩波書店。
 2020 『教育は何を評価してきたのか』、岩波書店。
柄谷 行人
 1988 『日本近代文学の起源』、講談社。
 2003 『倫理21』、平凡社。
吉川 徹
 2018 『日本の分断――切り離される非大卒若者たち』、光文社。
宮口 幸治
 2019 『ケーキの切れない非行少年たち』、新潮社。
中室 牧子
 2015 『「学力」の経済学』、ディスカヴァー・トゥエンティワン。
大沢 真幸
 2008 『不可能性の時代』、岩波書店。
田中 辰雄・浜屋 敏
 2019 『ネットは社会を分断しない』、KADOKAWA。
谷岡 一郎
 2000 『「社会調査」のウソ――リサーチ・リテラシーのすすめ』、文藝春秋社。
内田 良・斉藤 ひでみ・嶋﨑 量・福嶋 尚子
 2021 『＃教師のバトン とはなんだったのか――教師の発信と学校の未来』、岩波書店。
吉見 俊哉
 2009 『ポスト戦後社会』、岩波書店。

第8章
骨と銃弾と考古学

　ここまでの2つの章では、「情報リテラシー入門」という趣旨で、データの正確な把握と検討に関わる論理と倫理、そして、データの間に設定可能な論理的関係の中でとくに慎重な考察が必要な因果関係、を取り上げてきた。この章では、それらの議論を踏まえつつ、情報リテラシーの応用編として、考古学を具体例として、データの慎重な収集と分析を生命線とする学問の特徴を確認する。そして、最後にこの考古学に代表される量的研究から質的研究に論点を移し、後者の代表である民族誌的研究についても簡単にみておくことにしたい。

考古学と犯罪捜査
　考古学という学問は、モノつまり物的証拠を通して人間と文化についてアプローチする学問である。考古学を、発掘を行い遠い時代の人類の歴史について研究する学問だと思っている読者もおおいだろう。それは、かならずしも間違ってはいない。考古学は、文字資料のない時代の人類の歴史を明らかにする上で欠かせないものだからである。しかし、一方で、近現

代を研究する考古学もあり、かならずしも古い時代の歴史の研究が考古学だとはいえないところがある。また、考古学をロマンあふれる歴史の仮説を提示するものとイメージする読者もいるかもしれないが、それはどちらかといえば誤った認識であろう。考古学という「科学」は、むしろ推測の提示には否定的だからである。考古学の特徴は、モノの分析を通した人間の理解という点にあると考えた方がよい。

したがって、考古学の研究は犯罪捜査と似ている。犯罪捜査は、現場に残っている痕跡から、犯罪と犯人に迫っていくものである。ときには目撃証言や犯人の自白を覆すような物証を現場の中から見つけ出すこともある。たとえば、交通事故では、当事者や目撃者の証言に加え、タイヤ痕、破片、車の傷などの物証から、事故の発生状況や車両の衝突状況を見極め、事故原因と過失責任を認定する。犯罪と関わるケースだけではないが、火事では、消防署員が消火活動中に現状を見分し、鎮火後に発掘・復元する――火事で落ちたり壊れたりしたものを除去し、火災時に近い状況を復元する――ことで本格的な調査をするなど、時系列的に物証の調査を行う。爆弾事件では、警察は爆発のあった一帯に残っているほとんどありとあらゆる破片を拾い集め、この破片の分析を通して、爆発の中心部、規模、そして爆弾の容器や装置を特定していく。現場にあったと考えられるもので、不自然なものが、犯罪に関係している可能性が高い。たとえば、1974年の三菱重工爆破事件では、トラック何台分もの破片が回収され、そこから爆発物がある特定の缶の容器に入っていたことが突き止められた。

また、実際に犯罪捜査の手法を応用した考古学的研究もある。アメリカ合衆国モンタナ州に、リトルビッグホーンと呼ばれる古戦場がある。1876年に、南北戦争の北軍の英雄であったカスター中佐が、スー・シャイアン・アラパホなどの平原先住民連合と戦い、戦死した戦場である。1980年代半ばに、当時大学院生であった考古学者がここで行った調査は、犯罪捜査の手法を応用した独創的なものであった。まず、この数キロメートル四方にわたる古戦場の範囲を正方形のグリッドに区画化する。そして、金属探知機を等間隔で一列に配して地面をスキャンしていき、戦争関連の

遺物を探知する。探知機が反応すると、そこを掘り返してモノを特定し、コンピュータ上に記録する、という作業を丹念に行う。騎兵隊と先住民側とはそれぞれ異なる銃器を使用していたので、弾丸と薬きょうの分布から、騎兵隊と先住民側の布陣が明確になる。ところで、薬きょうには、発射時に撃針の跡が残る。それはそれぞれの銃によって固有のものとなる。こうして、同一の撃針の痕跡をもった薬きょうの分布から、戦場内の兵士の移動や戦局が復元できる。そして、これを先住民側の口頭伝承の記録——騎兵隊側は部隊が全滅していたので記録がない——と照らし合わせて、戦闘状況を復元したのである。

　彼の詳細な分析は、この戦闘に関する従来の理解の誤りを正しただけでなく、この古戦場の歴史的意義を転換させる契機ともなった。つまり、この史跡は、それまでカスター中佐ら第7騎兵隊（の一部）の殉死を記念する場所とされていたが、1991年以降は、多数の先住民が自らの土地と文化を守るために戦った場所として説明されるようになったのである。

　人間は、何かをすると、ほぼかならず行為の痕跡となる物的証拠を残す。もちろん、その痕跡から行為の全貌を明らかにできるという保証はない。場合によっては痕跡が残っていないこともある。ただ、手がかりとなる何かが残っていることはおおい。考古学は、そうした物的証拠をもとにしたデータから、人間とその文化（社会や歴史も）にアプローチする学問である。

貝塚の調査

　考古学は人文科学に入るが、モノに関する自然科学のさまざまな研究の発展を貪欲に取り込んできた。その一端を、貝塚研究を例にみておくことにしたい。貝塚は、考古学的データの宝庫である。

　貝塚は、居住地の近くに人々が魚や貝を食べた後の不要物を捨てた結果できあがった、いわばゴミ捨て場である。このゴミ捨て場を「貝塚」と呼ぶのは、貝殻がそうしたゴミの中でも大量にあって腐りにくいため目立つからである。当時の食糧事情についての研究からは、縄文時代の人々がかならずしも貝を中心に食べていたわけではなく、むしろ主要なカロリー源

は貝以外の複数の食物にあったらしいことがわかっている[※7]。ただ、浅瀬などにあり採集が容易で、1年の大半を通して獲得できる（ただし、産卵期には毒をもつ）ことから、日本に限らず世界各地で、貝は大量に採集されて食べられてきた。貝は、人間が食べるものの中でもっとも捨てるところの割合がおおいといえる。ただ、それゆえ、大量に捨てられる貝殻が付近の土壌をアルカリ性にかえる作用をし、酸性土壌のおおい日本では残りにくい獣魚骨などが数千年にわたって保存されることになった。結果的に、ゴミの山である貝塚は、さまざまな物的証拠をいまに伝える、考古学にとってまさに宝の山となった。

　正確な統計ではないが、日本列島では約2,500箇所に貝塚が確認されている。その大部分は縄文時代のもので、9割以上が太平洋側にある。太平洋側でおおく発見されているのは、調査と土地開発が進んだからであるが、日本海側は、潮の干満の差が太平洋側の10分の1しかなく貝の採集が容易でないことが、すくないひとつの理由ではないかとされている。日本で一番古い貝塚のひとつが、東京湾（神奈川県）にあった夏島貝塚であり、約11,000年前のものとされる。第4章で触れたように、このころに気候が温暖化し、海水準が上昇して、それまでの陸の低地が入り江や遠浅の海岸になったことに関係すると考えられる。

　貝塚はゴミ捨て場であったので、土器以外にもさまざまなものが出る。たとえば、焚き火の燃えさしの炭があれば、その組織を分析し何の樹木かを特定することで、当時の植生や木材利用の状況がわかる。千葉の加曽利貝塚の木炭の大部分はクリであった。また、糞石（coprolite）の中の消化されずに残っている骨片・毛・食物繊維・種子の断片などを分析することで、食生活の実態を知ることができる。その場合、まず、寄生虫の卵など

※7　北海道では水産資源に依存していたが、それを除く日本列島全体では、ドングリやトチの実などの堅果類とシカやイノシシなどの陸生動物がおもな食糧源であった。東北アジア全体の中でも、東日本を中心とする地域はとくに、サケ・マスなどの河川遡上性魚類、シカやイノシシなどの中型陸生動物、ドングリやトチの実などの堅果類の3つの食糧資源が、質的・量的に十分保証される地域であった。

を調べてイヌの糞と人間の糞とを区別する作業を行う。以前は糞石をすりつぶしたりしたので、中の痕跡を破損させることがおおかったが、いまは薬品処理によって糞石を軟化させる技術が発達している。貝層の下からは、竪穴住居の跡や、貝層を掘りくぼめて埋葬されたらしい人骨が出ることもある。急死したと考えられるような人骨を伴う住居跡の発掘例もいくつかあり、いずれも5人以下であることから、一般的に縄文時代の竪穴住居の構成員は数名だったと考えられている。貝塚はいくつかの層からなることがあるので、この層序から歴史を再構成することが可能である。

　多数そして多種の魚骨や獣骨も出土する。日本の貝塚からよく出土するものとして、マダイの骨がある。ある貝塚で出土するマダイの骨の数を数え、これを他の魚骨の数と対比したり、他の貝塚における状況と照らし合わせたりするといった研究に加え、捕獲されたマダイがどの程度のおおきさだったのかを復元し対比するという研究もある。この研究は、マダイの骨のある特定部分が体長の復元にもっとも適していることが方法上確立されたことを受けたものである。動物学の成果が考古学に援用されたのである。こうして、貝塚から出土する魚骨のおおきさから、当時捕獲されていたマダイのおおきさを推定することが可能になった。ほぼ同時期に存在した神奈川県称名寺貝塚と岩手県宮野貝塚のマダイの体長を比較すると、興味深いことに、後者の方がおおきなマダイを捕っていることがわかった。しかも、後者では、30センチメートル未満のマダイはほとんど捕られていない。30センチメートル未満の子どものマダイが生息する環境は、それよりおおきい親のマダイが生息する環境と異なっており、両者はそれぞれ異なった漁場で異なった漁法によって捕獲されていたはずである。宮野貝塚の場合、親ダイだけをねらった漁が行われていたのであろう。

　このように、単に魚の種類やその量だけでなく、骨のおおきさの差異もデータ化しようとすれば、いっそう慎重な資料の収集が必要になる。また、ちいさな骨の破片を見落とさないように、注意深く遺跡の中の資料を採集することも重要となる。考古学は、こうした厳密な科学的手続きによる学問であり、それゆえ自然科学の成果にもとづくところもおおきい。近年は、

とくに動植物に関するデータを扱う動物考古学が目覚ましい発展を遂げている。たとえば、遺跡の土壌から水田に固有の雑草や害虫が発見されれば、水田の遺構そのものが発見されなくても、そこが水田だったと推測できるのである。

モノからのアプローチの限界

考古学がモノからアプローチする学問である、という点に関して、ひとつ触れておかなくてはいけない点がある。先に、人間は行為の痕跡となる物的証拠を残すと述べた。しかし、その痕跡を考古学がかならず捉えられるとは限らない、という点である。たとえば、魚骨から当時の食生活や採集・漁労について考察することはできる。しかし、数千年の間に腐って崩壊してしまい、現代にまで残らなかった骨はたくさんあるはずである。さらに、骨も身も皮もすべてすりつぶして食べていたならば、魚骨というデータは残らないことになる――だからこそ糞石の研究が重要になる――。サンプリングエラー、つまりデータの収集／採集における漏れや誤りがある可能性もある。これは、第6章で述べたダークフィギュアの問題とも重なる。ほかに、ほとんど痕跡が残らないため、縄文人がどの程度食べていたかは不明な食物もある。何であろうか？

たとえばきのこ類である。考古学は、厳密なデータ収集とその分析を生命線とする学問であるが、そうであるからこそ、データが残らなかったり、一定の偏向をもったデータが残っていたりする論理的な可能性をあらかじめ念頭において、議論を組み立てる必要があるのである。

沖縄では、旧石器時代の人骨は出土するが、石器はほとんど出土しない。これはひとつの謎であった。しかし、近年、出土する貝破片に使用痕がみつかった。大型獣がおらず採集中心だったと推測される沖縄では、石器でなく貝器で事足りていたのであろう。耐久性の低い貝器はこれまであまり分析されてこなかったが、先史考古学の石器中心主義的パラダイムを、地域の固有性に即して柔軟に組み換えることも必要なのである。

質的調査と民族誌

　ここまで、考古学に焦点を当て、物的証拠にもとづく研究の具体的なあり方を紹介した。最後に、量的研究と質的研究という本章の冒頭で触れた論点について述べておきたい。

　量的研究／定量的研究（quantitative research）は、たとえばアンケート調査など、統計化し数値化できるデータを収集し分析・考察する研究を指す。一方、質的研究／定性的研究（qualitative research）は、数値化できないデータ、たとえば人々の心情や語りといった主観的な内容を扱うデータを収集し分析・考察する研究を指す。今日では、企業が市場調査を行う場合、アンケートなどの量的調査では汲み取れない消費者の動向やニーズを質的調査によって把握するという動きも一部にあり、この２つの研究はともに重要である。

　人間とその文化にアプローチする学問の中でも、考古学は物的証拠にもとづいて量的研究を行う学問といえる。一方、質的研究を基盤とする学問としては、文化人類学や民俗学、社会学の一部（エスノメソドロジー、ライフヒストリー研究）などがある。これらの学問は、自らがフィールドワークを行って得た質的データをおもな拠り所としている。文字資料を基盤とする歴史学も、質的研究のひとつである。ただし、歴史学にせよ文化人類学にせよ、質的データと量的データを組み合わせた研究はおおい。社会学の場合、質的データ中心の研究もあれば、統計的なデータ中心の研究もある。社会学の全体としては、むしろ量的データ中心の研究がおおい。

　文化人類学では、フィールドワークにもとづく質的データを記述しまとめたものを民族誌／エスノグラフィーと呼ぶ。日本の社会学ではエスノグラフィーというカタカナ表記がおおく、民俗学では民俗誌という表現もされるが、基本的に中身はおなじものである。民族誌にはさまざまな時代・社会・テーマを扱ったものがある。『西太平洋の遠洋航海者』は文化人類学の民族誌の古典とされるものである。また、文献にある『アウシュヴィッツの残りのもの』『構造的差別のソシオグラフィ』『キムはなぜ裁かれたのか』は、それぞれ哲学者・社会学者・歴史学者によるもので、通常は民

族誌には含めないだろうが、民族誌的研究の広がりを知りたいという方にはお勧めしたい著書の例である。

　災害エスノグラフィーというジャンルもある。何故災害と民族誌なのか。それは、災害がひとりひとりにもたらした固有の経験や意味は、アンケート調査や映像記録よりも、きめ細かいインタビュー調査によって、はじめて明らかになるものだからである。当事者によって、おなじ事実は違ったかたちで解釈されたり受け止められたりする。あるいは、事実は人によって違うといってもよい。そうした事実の多面性を知ることは、災害を歴史的事実あるいは社会的事実としてしっかり把握するという点で重要であり、それは今後また災害が発生したときに取るべき対応を考える上での教訓ともなる。語ることによって、語る人の心の傷が癒される可能性もある。人々の経験は、誰かがそれを聞き出し記録しないかぎり、記憶から消えていく。民族誌に書き留めることによって、災害がそれぞれの人にとって何であったのかを、深く知ることができる。ただし、もちろん、それは現実の一部あるいは一面を切り取ったものの集積である。語りたくない、語りえない経験もまたあるはずである。

　量的研究における解釈や恣意性の介在可能性は、第3章のラトゥールの議論や第6章の強制選択に関連してあらかじめ触れておいたが、民族誌のような質的研究が扱うデータについても、これを鵜呑みにしないことが大切である。インタビューによって得られた災害当時の感想や想いは、その当時の思いそのものというよりも、インタビューした時点のものと考えた方がよい。また、個人情報保護の観点も重要となる。モノを扱うよりも、人々の固有な心情や考えを扱う方が、データの取り扱いやその解釈により慎重さが要求されるところがある。

　ともあれ、読者が質的研究と量的研究のどちらにより関心をもつのかは、人類文化学の幅広い学びのどこに焦点を当てていくかを考える上で、ひとつの基準になるであろう。では、次にがらりと話題をかえて、異文化理解というテーマについて論じておきたい。キーワードは文化相対主義である。

column7 フィールドワークに王道なし

　私は、15年ほどずっと文化人類学フィールドワークの授業を担当し、毎年1週間ほど沖縄・奄美で調査実習をしていた。研究テーマは学生によりさまざまで、彼らの感性から学ぶこともおおかった。

　私が学生によくいっていたのは、インタビューのとき相手に失礼がないようにということと、相手が「はい」と答えたとしても、それがときには「いいえ」の意味であることもある、それを見逃さないように、全体の雰囲気を把握することが大事である、といったことであった。

　調査では、聴いた話を漏らさないようにしっかりメモを取る。しかし、メモを取ることができない場合もある。たとえば、学生の研究テーマではなく、私の関心からであったが、地元の選挙でどのようなネットワークで人々がつながっていて票読みがなされているのかといった、きわめてデリケートな内容を（雑談の流れの中で）訊く場合、絶対にメモは取れない。そうした場合は、必死に記憶するしかない。こうした質問は、助手役で同行していた大学院生への上級者向けレッスンでもあった。ただ、いつもメモやボイスレコーダーをつかえるわけではなく、つかわないからこそ聞くことのできる情報もある、ということは、適宜みなに話していた。

　フィールドワークで学生がなすべき作業は山ほどある。メモの取り方、場の雰囲気のつくり方、インタビューのコツといった技術面の体得、調査地に関する知識あるいは常識、人類学の知見や理論・方法、民俗学や沖縄・奄美の先行研究といった知識面の学習が、まずある。調査がはじまれば、メモをおこしてノートをつくる作業に膨大な時間がかかる。調査後には、それをまとめてレジュメを切り、発表し、報告書の原稿を書く、といった作業が待っている。学生には負担のおおきな授業であったが、「疲れたけど楽しかった」という声もおおくあった。

　私が一番大事にしていたのは、インタビューに応じてくれる方々との会話の楽しさである。相手がこちらと話をしたことを楽しいと思ってくれることが、調査データを得ることよりも大切である、ということである。相手の気持ちを考えずに、ただデータを得るだけの調査は、たとえ学生の調査実習であっても、ある種の搾取であると私は思う。もちろん、インタビューがいつもうまくいくわけではないが、インタ

ビューをしてデータをいただくという作業は、相手にとっては学問ではなく、むしろ人と人との付き合いでしかない。そのことを忘れないことが、調査の基本であろうと思う。ただし、私自身がどれだけできていたかは、まったく心もとないが。

インタビューの適切なあり方は、それぞれ状況によって異なる。また、インタビューする側の個性や相手との波長の合い方によっても異なるであろう。フィールドワークに王道なし、である。ただ、文化人類学のような異文化理解を掲げる学問では、はじめから決めておいたテーマにもとづき予定されたデータを集める調査は、あまり評価されない。調査地の人々をよく知るようになる中で、はじめにもっていたテーマや視点が変わる発見があり、議論が別の方向に向かっていく調査こそ、望ましいとされる。

フィールドワークでは、つねにこちらが教えてもらう立場にある。そうした謙虚な思いを忘れないように、といまも思っている。

主要文献

アガンベン，ジョルジョ
 2001 『アウシュヴィッツの残りのもの——アルシーヴと証人』、上村忠男・廣石正和訳、月曜社。

藤尾　慎一郎
 2021 『日本の先史時代——旧石器・縄文・弥生・古墳時代を読みなおす』、中央公論新社。

合田　濤・大塚　和夫（編）
 1995 『民族誌の現在——近代・開発・他者』、弘文堂。

林　勲男（編）
 2010 『自然災害と復興支援』、明石書店。

林　春男・重川　希志依・田中　聡・NHK「阪神・淡路大震災　秘められた決断」制作班
 2009 『防災の決め手「災害エスノグラフィー」——阪神・淡路大震災　秘められた証言』、NHK出版。

石　弘之・安田　善憲・湯浅　赳男
 2013 『新版　環境と文明の世界史——人類20万年の興亡を環境史から学ぶ』、洋泉社。

金菱　清（編）
 2012 『3.11慟哭の記録——71人が体感した大津波・原発・巨大地震』、新曜社。

吉川　徹
　　2019（2001）『［新装版］学歴社会のローカルトラック——地方からの大学進学』、
　　　　　大阪大学出版会。
岸　政彦（編）
　　2017 「特集　エスノグラフィ——質的調査の現在」『現代思想』45-20（2017年
　　　　　11月）:42-248、青土社。
岸　政彦・石岡　丈昇・丸山　里美
　　2016 『質的社会調査の方法——他者の合理性の理解社会学』、有斐閣。
岸　政彦・打越　正行・上原　健太郎・上間　陽子
　　2020 『地元を生きる——沖縄的共同性の社会学』、ナカニシヤ出版。
鬼頭　宏
　　2010 『人口から読む日本の歴史』、講談社。
串田　秀也・好井　裕明（編）
　　2010 『エスノメソドロジーを学ぶ人のために』、世界思想社。
牧　秀一（編）
　　2020 『希望を握りしめて——阪神淡路大震災から25年を語りあう』、能美舎。
マリノフスキ，B.
　　2010 『西太平洋の遠洋航海者』、増田義郎訳、講談社。
三浦　耕吉郎（編）
　　2006 『構造的差別のソシオグラフィ——社会を書く／差別を解く』、世界思想社。
宮本　常一・安渓　遊地
　　2008 『調査されるという迷惑——フィールドに出る前に読んでおく本』、みずのわ
　　　　　出版。
森田　真也
　　1991 「フィールドワークと調査地被害」『常民文化』14: 33-38。
日本文化人類学会（監修）
　　2011 『フィールドワーカーズ・ハンドブック』、世界思想社。
日本第四紀学会（編）
　　2007 『地球史が語る近未来の環境』、東京大学出版会。
小田　博志
　　2010 『エスノグラフィー入門——〈現場〉を質的研究する』、春秋社。
小國　和子・亀井　伸孝・飯嶋　秀治（編）
　　2011 『支援のフィールドワーク——開発と福祉の現場から』、世界思想社。
桜井　厚・山田　富秋・藤井　泰（編）
　　2008 『過去を忘れない——語り継ぐ経験の社会学』、せりか書房。
島　泰三
　　2020 『魚食の人類史——出アフリカから日本列島へ』、NHK出版。

須藤　健一（編）
　　1996　『フィールドワークを歩く――文科系研究者の知識と経験』、嵯峨野書院。
鈴木　公雄
　　2005　『考古学とはどんな学問か』、東京大学出版会。
鳥越　皓之・金子　勇（編）
　　2017　『現場から創る社会学理論――思考と方法』、ミネルヴァ書房。
打越　正行
　　2019　『ヤンキーと地元――解体屋、風俗経営者、ヤミ業者になった沖縄の若者たち』、筑摩書房。
内尾　太一
　　2018　『復興と尊厳――震災後を生きる南三陸町の軌跡』、東京大学出版会。
内海　愛子
　　2009　『キムはなぜ裁かれたのか――朝鮮人BC級戦犯の軌跡』、朝日新聞社。
山崎　真治
　　2015　『島に生きた旧石器人――沖縄の洞穴遺跡と人骨化石』、新泉社。
吉田　竹也
　　2003　「民族誌論覚書――20世紀人類学のパラダイムと民族誌」『アカデミア』人文・社会科学編 77: 1-79。
　　2019　「ひとつになった乙姫と白百合の現在存――恒久平和を念願する時限結社の超越過程」『人類学研究所研究論集』6: 20-57。
好井　裕明
　　2006　『「あたりまえ」を疑う社会学』、光文社。

第9章
異文化とは何か

　異文化理解は、人類文化学におけるきわめて重要な主題となる。この主題を、以下では3つの章に分けて論じていく。まず、本章では、異文化理解という場合の「異文化」とは何であるかを、第4章で論じた「文化」の2つの定義に即して検討する。第10章では、本章の議論を踏まえて、異文化の「理解」とは何かについての要点を、「文化相対主義」と「自文化中心主義」というひと組の概念を軸に確認する。そして、第11章では、応用編として、セクシュアリティに関わるトピックを取り上げて、異文化理解についての基本事項を確認しておくことにする。

価値観の異文化論
　第4章では、「文化」にはおおきく分けて2つの定義があると述べた。このどちらの文化を念頭におくかによって、「異文化理解」もかなり違ったものとなる。私は、そこで触れた狭義の文化について「異文化理解」を考える方がよいと思っている。まずは、このことについて説明したい。
　広義の「文化」はわれわれ人類の多様な生活の全体を指し、狭義の「文

化」は知識・観念・価値の体系を指す。ここでは後者を、ものの見方・考え方・感じ方、つまり価値観（と価値感）といいかえておく。

　さて、広義の文化について、異文化理解という主題を設定することは、もちろんできる。しかし、そうした異文化論は、しばしば平板な議論に終わってしまうように思われる。その場合の「異文化」は、たとえば、自分たちとは異なる言語・社会組織・物質文化・生活習慣などである。しかし、こうしたいわば目に見える次元での文化の違いを論じるよりも、目に見える違いの背後にあって目に見えない次元にある文化の違いにこそ、注目すべきであると考えられる。たとえば、衣食住はいわゆる物質文化の代表的なものであるが、自分たちの衣食住と彼らの衣食住がたがいに異なっているのは、見た目にもはっきりしており、その差異を対照させることは比較的容易である。しかし、そうした衣食住の違いの背後に、どのような価値観（ものの見方・考え方・感じ方）の違いがあるのかは、すぐにはわからない。だからこそ、それについて深く知ることが必要なのである[※8]。自分たちの言語の語彙──世界の切り分け方（第1章）──と彼らの言語のそれとの違いの背後にある概念や価値観の違い、一見すると自分たちとおなじような習慣や制度の裏に隠れたおおきな価値観の違い、あるいは逆に、一見するとたがいにまったく違っている習慣・制度の背景にある、たがいにおなじ考え方や論理──たとえばセンザンコウとハリネズミ（第1章）──、こうしたものに目を向ける必要がある。このように、文化の表面的な差異や類似性の背後にあって、すぐには理解できない価値観の差異や類似性を

※8　たとえば、伝統的な方位観にしたがって、インドネシアのバリ人はベッドをかならず一定の向きに設置する。身体で聖なる部位である頭が、聖なる方位である東(kangin)あるいは川上／山の方 (kaja) を向くようにするのである。この川上／山の方位は、南部バリではおおむね北であるが、中央山地を挟んだ北部バリではおおむね南になる。したがって、南部ではベッドの頭は北か東に、北部では南か東になる。こうした規範は、バリ人の住居だけではなく、観光者が宿泊するホテルでも観察しうる。日本でも「北枕」はあるが、バリでは北ではなく川上／山の方位が問題なのである。付言すると、洗濯物についても、バリ人は上半身の衣服とくに頭巾などを物干しなどをつかって上方に干し、下半身のものを地面に近い下方に干す傾向もある。こうした住居や衣服をめぐる何気ない習慣の背後には、彼らの一貫した世界観があるのである。

主題化することこそ、異文化理解にとって重要である。これが、広義の文化に即してではなく、狭義の文化に即して、異文化理解という問いを追及することが望ましい第1の理由である。

さて、それを踏まえて、次の議論のステップに進もう。こうした考え方に立つならば、「異文化」とは、自分が違和感を覚えるという意味で「異なる」価値観やものの見方・考え方・感じ方、あるいは生き方である、ということになる。これにたいして、自分のもつ価値観や生き方あるいは常識を「自文化」と呼ぶことにしよう。このような意味での「自文化」と「異文化」を突き合わせること、そして複数の「異文化」を突き合わせることが、異文化理解ということになる。

第2章で触れた例に戻って、確認しよう。核兵器という物質文化やそれを生産する技術の有無ではなく、核兵器を自国が開発したり所有したりすることについての価値観の差異を論じることが、ここでいう異文化理解をめぐる問いになる。日本人のおおくは、核兵器を自国がもつ可能性には嫌悪感や不安感を抱いているのではないだろうか。しかし、そうしたわれわれの「自文化」は、かならずしも世界的に見て一般的なものとはいえない。ストックホルム国際平和研究所や長崎大学核兵器廃絶研究センターによれば、世界の核兵器数は、冷戦のピーク時の7万発超から、2021年には1万3,000発程度にまで削減された。ただし、削減のひとつの背景は、核兵器の精度が上がったことであるとされる。核兵器の「改良」は現在も進行中である。そして、自国を巻き込む核戦争のリスク、人類絶滅のリスク、核兵器へのテロ攻撃のリスクよりも、核兵器を自国がもつことの政治外交的・科学技術的なメリットや、核兵器をもたない他国より自国が相対的に優位な立場にあることへの誇りや自尊心を感じる人々、つまり日本人の多数派にとっての「異文化」を自文化とする人々が、世界の中ではなお多数いる。核兵器の保有・使用に否定的な価値観は、世界の若い世代や非核保有国には徐々に浸透しつつあるが、核兵器の保有・使用に肯定的な価値観が、核保有国の世論および政治家を支配し、世界をも支配しているがゆえに、核兵器の廃絶は実現しないのである。

この例から明らかなように、自文化とは違った異文化を理解するのは難しい。なぜなら、異なる価値観という意味での異文化は、自分の価値観とは相容れないもの、場合によっては正反対のものだからである。背後にあるがゆえに違いがすぐにわからないという理由だけでなく、自分にとってもっとも理解しづらい／納得しづらいものであるという理由からも、価値観の次元にある異文化は主題化するに値するものなのである。狭義の「文化」に焦点を絞って異文化理解を考えるべきだと先に述べたのは、上に述べた第1の理由よりも、むしろここで述べた第2の理由によるところがおおきい。

極北先住民の異文化

ここで、核兵器とは異なる別の例を挙げて、もうすこし「異文化」について考えてみたい。それは、19世紀のエスキモー／イヌイトの文化である。

簡単に名称の問題を整理しておこう。「エスキモー」という名称の使用に問題があると聞いたことのある読者はいるだろう。「エスキモー」は、彼らの自称ではなく、彼らの近隣の別の民族集団が「生肉を食らう輩」といった意味でもちいた蔑称である、あるいはその可能性がある、というのが理由である。ただし、これには地域の違いを考慮に入れる必要がある。エスキモー／イヌイトは、グリーンランド、カナダ北東部、アラスカ、シベリア極東部のツンドラ地帯にまたがる先住民であり、言語・文化的に前二者（イヌイト系）と後二者（ユピク系）とにおおきく分かれる。カナダ政府は、1970年代ころからエスキモーを差別用語とし、イヌイト（Inuit/Unangan）という自称をもちいるべきとした。つまり、カナダの集団についてはたしかにイヌイトと呼ぶ方がよい。しかし、その論理でいくならば、グリーンランドの集団はカラーリト（Kalaallit）、シベリアやアラスカの集団はそれぞれユピク（Yupik）やイヌピアト（Inupiat）といった自称をもちいる方がよい、ということになる。しかも、後二者の社会ではエスキモーという呼称が普通にもちいられ、それは蔑称にならないと自ら表明する人々もいる。このように、異なる国家に分かれたこの先住民を何と呼ぶ

かは、なかなか複雑な問題である。ここでは、そうした背景があることを押さえつつ、この極北先住民をエスキモー／イヌイトと表記しておく。

　今日のエスキモー／イヌイトの大半は定住生活を営んでおり、とくにグリーンランドでは、気候変動による温暖化の中で急速にその生活様式を変えている（第14章）。ただ、ここでは19世紀前半のエスキモー／イヌイトに焦点を当てる。当時、彼らは狩猟生活を営んでいた。彼らを知るようになった欧米人は、自らと異なる彼らの（広義の）文化に注目した。よく知られているのが、アザラシやセイウチなどの海獣やカリブー（トナカイの一種）などの生肉を食べる、氷雪の塊をブロック状に切り出してドーム状に積み上げたスノーハウス（イグルー）に住む、といった点である。

　こうした食文化や住文化は、では、われわれにとって理解に苦しむ異文化であろうか。それぞれの捉え方はあると思うが、すくなくとも私にとっては、上に触れた、自分の価値観とは相容れない、それと正反対の価値観、というものを背後にもっているようには思われない。動物の生食という習慣は、当時の欧米人にとって相当な違和感があっただろうが、牛肉もときに生食する今日の日本人にとっては、かならずしも異質な食文化といえないであろう。寒冷な気候により細菌が繁殖しないこと、生食は穀類や植物を食べない彼らにとっての重要なビタミン摂取の手段であること、などの合理的な理由もある。スノーハウスも、秋田・新潟などのかまくらに似ており、木材がない環境においては合理的な素材選択であること、中で暖をとれば温かいこと——重要なのは換気口をあけておくことである——、などのやはり合理的な理由がある。私は、自身がそれらを体験することにも、さほど違和感はない。

　しかし、当時のエスキモー／イヌイトには、ほかにも欧米人の関心をひいた習慣があった。ひとつは、一部の集団が行っていた、食糧が欠乏したときの嬰児殺しである。命名前の子どもを、雪の上に置き去りにしたりする習慣があったのである。彼らにとっては、名のないものは「人体」にすぎず、「人間」ではないという考え方があった。また、やはりこれも食糧の足りないときの対処法のひとつであったが、老人の自殺という習慣もあ

った。とりわけ冬は、食糧不足が慢性的に起こりうる。そうした緊急事態の際、老いて次のキャンプ地についていけないような老人が、食糧も何ももたず、自ら吹雪の嵐の中に出て行き、死を選択する、という習慣があったのである。日本の一部地域にも、嬰児殺し（間引きとも呼ばれた）や姥捨の習慣があったことが知られている。しかし、いまの私には、それらの習慣の背景にある価値観を理解することは難しい。

　もうひとつ、妻貸しあるいは妻交換として紹介された習慣があった。これは、遠路はるばるやってきた客人や親友へのもてなしとして、自分の妻を性行為のパートナーとして提供する、そして、ホストとゲストの立場が入れ替わったときに、第1章で述べた互酬性の原理にしたがって、やはり同様にする、というものである。これは、当時の欧米人にとってきわめて違和感のある、しかしかなり広範な地域のエスキモー／イヌイトに見出された、習慣であった。そして、それは、現在のわれわれにとってもまた、非常に違和感のある習慣であり、その背後にあるであろう価値観の共有は困難なものではないだろうか。たとえそれが最大限のもてなしの方法であるとしても、それをそのまま自身の価値観として受け入れることはできないのではないだろうか。

　これら、嬰児殺し、老人の自殺、妻貸し／妻交換の習慣は、過去のエスキモー／イヌイトの文化である。現在の彼らにこうした文化はない。また、犬ぞりではなくスノーモービルをつかい、生業としてではなく趣味として狩猟を営む人々もおおい。ただ、さかのぼって19世紀の彼らの文化と現在のわれわれの「自文化」を対比した場合、そこに相当な隔たりがあることは明らかである。妻貸し／妻交換を実践し、家族のために自ら進んで死を選ぶ老人の行為を見過ごし、当時のエスキモー／イヌイトの価値観・心情や生き方に共感したりそれを試してみようとしたりする現代日本人は、相当な少数派であろう。その意味で、これらの背後にある価値観は、まさに言葉の正確な意味での「異文化」である。すくなくとも、私にとっては、これらの価値観は「異文化」に相当する。そして、生肉を食べたりスノーハウスを住居としたりすることは、私にとっては、強いて「異文化」と呼

ぶ必要は感じないものである。では、読者にとってはどうであろうか？

異文化概念を洗練させる

　このエスキモー／イヌイトの例をもとに、「異文化」そして「異文化理解」の意味を確認しておこう。

　異文化とは、そもそも自分にとって理解できない、自分にとって馴染みのない、相容れない、納得できない、共感できずむしろ違和感を覚える、価値観・生き方である。この場合、知識よりも違和感や共感といった感受性が大切である。いままでの対人関係で、相手に「異文化」を感じたことのある読者は、このことがよくわかるのではないかと思う。この、理解できない部分（異文化）を、しかし理解しようとするのが、異文化理解なのである。端的にいって、異文化理解は、このはじめから矛盾した、ときに不可能に近いと思えるような営為であるといってよい。これが第1点である。

　こうした意味での「異文化」は、どこにあるのであろうか。むろん、異なる国や異なる民族に、こうした異文化を見出すことはできるであろう。しかし、エスキモー／イヌイトの例が示すように、そうした異民族・異社会の価値観や生き方すべてが「異文化」であるとは限らない。むしろ、価値観のある一部分や側面が、私にとって「異文化」として、あるいは逆に「自文化」に近いものとして、感じられるということなのである。いわば異文化性の程度や割合が問題なのであり、しかも何がより異文化と感じられるかは、人によって異なってくる。したがって、主体との関係を抜きにして、異文化あるいは異文化性を語るべきではない。また、おなじ国や民族集団であっても、異なる時代には、やはり異文化が存在するといえる（親の考えに異文化を感じるひとつの理由は世代差である）。現代のエスキモー／イヌイトは、19世紀前半の彼らの先達の価値観や生き方に相当な違和感つまり異文化性を感じるであろう。さらに、おなじ時代・社会の中にも、つまり身近なところにも、こうした意味の「異文化」は存在する。究極的には、人によって価値観や生き方は異なっているのであり、人の数だけ異文化が

あるといってもよい。こうしたミクロな視点から「異文化」を捉えるべきである。これが第2点である。

　たとえば、日本で生まれ育ちながら、周囲の人々と価値観（感）がうまく折り合わず、アメリカ人の価値観／生き方によりシンパシーを覚えたり心の安らぎを感じたりし、アメリカでの生活を志向する、という日本人は一定数いると考えられる。こうした場合、その人にとっては、アメリカの価値観こそより自文化的であり、生まれ育った日本の価値観がより異文化的なのだと考えればよいであろう。私は、インドネシアのバリの宗教文化を研究しているが、日本で生まれ育った人々がバリ人の生き方や価値観にシンパシーを覚え、バリでの暮らし――ひとりであれ、バリ人との家族生活であれ――を選択する、というケースをすくなからず観察してきた。国や民族が違えば異文化であり、逆におなじ国や民族ならば自文化である、というのは、あまりに単純な考えである。すくなくとも、現在の日本のように多様な価値観が許される社会――それは近代社会のもつ特徴のひとつである――では、身近なところに異文化はあり、何がどれだけ異文化であるかは、人によって違っていると考えてよい。それゆえ、異文化理解は、高尚な学問の問題である前に、ひとりひとりの生き方に関わる問題である。たとえば、大学で、外国で、会社で、結婚相手の家族との関係の中で、こうした身近なところにある異文化理解に直面する契機は、おおくの人に訪れるであろう。

おわりに

　以上、「異文化」をどのように考えるべきかについて論じた。ここで述べたように、何がどの程度「異文化」であり「自文化」であるかは、究極的にはそれぞれの個人によって違ってくると考えられる。そして、そうであるならば、必然的に、異文化の「理解」も、究極的には個人によって、何をどの視点から取り上げるかによって、違ってくるということになる。つまり、各自の価値観ごとに異なる異文化理解のあり方があり、それぞれの理解はそれなりにひとつの立場であって、それらはさしあたり対等なは

ずだということになる。

　では、以上の議論を踏まえて、次章では異文化の「理解」についての議論に入ることにしよう。

主要文献

バーチ，アーネスト・S＆ウエーナー・フォーマン
　　1991　『図説　エスキモーの民族誌──極北に生きる人びとの歴史・生活・文化』、スチュアート・ヘンリ訳、原書房。
本多　俊和・大村　敬一（編）
　　2011　『グローバリゼーションの人類学──争いと和解の諸相』、放送大学教育振興会。
長友　淳
　　2013　『日本社会を「逃れる」──オーストラリアへのライフスタイル移住』、彩流社。
大村　敬一・湖中　真哉（編）
　　2020　『「人新世」時代の文化人類学』、放送大学教育振興会。
下川　祐治
　　2007　『日本を降りる若者たち』、講談社。
スチュアート　ヘンリ
　　1998　「民族呼称とイメージ──「イヌイト」の創成とイメージ操作」『民族学研究』63（2）:151-159。
吉田　竹也
　　1998　「現代バリ島の方位認識と象徴分類」『アカデミア』人文・社会科学編 68: 1-19、南山大学。
　　2013　「楽園を生きなおす日本人」『反楽園観光論──バリと沖縄の島嶼をめぐるメモワール』、pp. 231-277、樹林舎。
　　2019　「安らかならぬ楽園のいまを生きる──日本人ウブド愛好家とそのリキッド・ホーム」『人類学研究所研究論集』7: 68-109。

長崎大学核兵器廃絶研究センター
　　2021　「世界の核弾頭一覧」
　　（https://www.recna.nagasaki-u.ac.jp/recna/nuclear1/nuclear_list_202106）
NHK放送文化研究所
　　2010　「原爆投下から 65 年　消えぬ核の脅威〜「原爆意識調査」から〜」
　　（https://www.nhk.or.jp/bunken/summary/research/report/2010_10/101005.pdf）

第10章
文化相対主義のエッセンス

「異文化理解」の「異文化」について論じた前章につづき、この章では「理解」について検討する。焦点は、文化相対主義 (cultural relativism) と自文化中心主義 (ethno-centrism) の含意を正確に捉えることにある。文化相対主義については、それぞれの文化はたがいに対等なものであって、はじめから優劣や上下の関係で見てはいけないという考え方である、といった説明がなされることがある。しかし、この説明は、実は若干の問題を抱えており、かならずしも妥当とはいえない。ここでは、いささか難解な議論となるかもしれないが、文化相対主義と自文化中心主義の境界を見定めるべく、ポイントを絞って説明していくことにしたい。

過程としての異文化理解

前章では、何がどの程度異文化であり自文化であるかは、究極的にはそれぞれの個人によって違ってくる、と述べた。ここから指摘できるのは、異文化の「理解」が過程の問題である、という点である。端的にいって、異文化は自分にとって理解の困難なものである。したがって、いきな

りいわば100％の理解にいたるという状況は、絶対ありえないわけではなくても、まず難しいであろう。しかし、逆にずっと0％のまま理解できない状況がつづくことも、めずらしいかもしれない。時間と努力を費やせば、理解できない生き方・価値観が徐々にわかっていくのではないだろうか。この0％と100％の間にあって、時間をかけすこしずつ理解をはかっていくのが異文化の「理解」である。

　重要なのは、自分と異なる価値観を理解「しよう」とする姿勢／態度である。いまはとりあえずわからなくとも、そうした理解への意志を保持して、いずれ別の機会に訪れるであろうさらなる理解のときを待つことが大切である。いままで理解できなかったものが、すこし理解できた／納得できたという経験がないだろうか。生まれたときからずっとおなじ考え方・生き方の人間はいない。何が自文化であり何が異文化であるか、ある価値観に共感するのか／違和感を覚えるのかは、その人の成長とともに変わっていく。まして人によってそれは違ってくる。それゆえ、異文化理解に「正解」や最終的なゴールはない。その意味でも、異文化理解は、結果ではなく過程の問題である。

　とすると、はじめに違っていることを認め、たがいに理解し合えないことを認めることから、相互の「理解」ははじまるといえる。また、ある時点で、これ以上この価値観は理解できないという結論が出ることもあるかもしれない。しかし、それが理解「しよう」とした上でのことなら、この「理解できない」というさしあたりの結論は、その時点でのひとつの「理解」だといえる（できるなら、いずれさらなる理解に進むことが期待されるが）。重要なのは理解「しよう」という態度をもっていることであり、理解できた／できなかったという当面の結論を導くことではない。この点でも、異文化理解は過程の問題である。それまでは理解できていると思っていたものが、理解できないと思えてきた場合、それは「後退」ではなく「前進」かもしれない。逆に、理解したという思い込みを抱くことは、無理解のはじまりであり、さらなる理解からの後退であるかもしれない。「理解できた」という面を強調するのか、「理解できない」という面を強調するのかは表

裏一体の関係にあり、表面的にどちらとなるかはそれほど重要なことではない。たとえば、悲観主義者が「理解できない」と判断し、楽観主義者が「理解できた」と判断している場合、この両者の主観的判断を対比して、後者がより理解していると即断することはできないはずである。

このように、「理解」という人間の営みについて分析したり論理的説明を施したりすると、ある種のパラドクスのような話になってしまう。異文化理解とは、さしあたりある段階で何がどの程度理解できまたできないのか——どの程度ある価値観が自文化であり異文化であるのか——を整理し、さらに次の理解の段階に進んでいくという過程に存する（なお、単に「知る」だけでは「理解」にならない。何らかのかたちの納得／得心があって、「知る」から「理解」への飛躍が成り立つ）といえるが、それではただの陳腐な説明にしかならない。そもそも「説明」と「理解」という2つの原理の間にずれがあり、後者を前者の原理にうまく還元することが難しいのである。そこで、あらためてポイントだけを確認しておこう。異文化理解は過程の問題であり、特定の（普遍的に正しい）結論を導くことではない、社会によって、時代によって、究極的には人によって、ある価値観にたいする理解のあり方は違っていて当然である、といった「理解」の特徴が理解されれば、さしあたりは十分と考える。

超越性の否定＝相対主義

ここで、身近なところにある価値観の違いという点で、ひとつ仮想の例を挙げよう。私の友人に、プロ野球のGチームのファンであるA氏がいる。彼は、Gが勝った翌日は機嫌がいい。野球ファンに限らないであろうが、心底からのファンであれば、自分が応援するチームや選手が勝てば世の中それほど悪くないと思えたり、幸せな気分に浸ったりする。Aは、仕事を休んで年に何度か遠隔地で行われるゲームの観戦にも行く。Gチームの応援に相当な金銭を投入しており、余暇というよりもむしろ生活全体の中心にGチームがあるといえるようなライフスタイルを送っている。

さて、実は、私にとってそうしたAの価値観や生き方はひとつの「異文化」

である。アメリカでも日本でも、プロ野球の球団／チームにはそれぞれ特色がある。潤沢な資金を駆使して脂ののった選手を他球団から集めるところ、自前の選手の育成をチームづくりの柱とするところ、大都会を本拠地とし全国的にも人気のあるところ、地方都市を本拠地とし少数だが熱狂的なファンのいるところなど、さまざまであるが、私の好みの球団／チームの性格はＧチームの逆の方になるからである。私は、特定のチームを応援しているわけではないが、なぜかＧチームが負けると世の中それほど悪くはないな、と秘かに思うときがある。おそらくアンチＧファンなのである。そして、ＡがＧチームをいいと思うその心情にはシンパシーを感じず、Ｇが勝つと祝杯を挙げ、小遣いと余暇時間の大半をＧの応援に捧げる彼の生き方に、違和感を覚えている。もちろん、Ａにとっては、そうした私の価値観が「異文化」であり、それはおたがい様ではある。ふたりは、この野球チームの好き嫌いを除けば、いくらでも価値観に共通の点があり、それゆえ長く友人関係をつづけている。

　読者の中には、そもそもプロ野球に興味がない、あるチームの勝敗に一喜一憂する感性自体が「異文化」である、という立場の方もいるだろう。また、プロ野球には関心がない／嫌いだが、アマチュア野球あるいは高校野球には一定の関心がある、という方もいるだろう。さらに、野球には関心がないが、サッカーには関心があり、上に述べたような（アンチ）ファンの気持ちはよくわかる、という方もいるだろう。あるいは、スポーツではなく、音楽についてなら当てはまる、という方もいるだろう。自身のポジションがどのあたりにあるのか、身近なところにどういったポジションの人がいるのかは、すこし考えていただければと思う。

　その上で、ここで確認したいのは、以下の点である。第１に、プロ野球の好き嫌いは、前章で述べた身近なところにあるミクロな次元の「異文化」のひとつの例である。第２に、その場合、私にとっての「異文化」は、ＡがＧファンであるというこの点だけにある。彼の価値観・生き方の別の部分は十分理解できるし、それは「自文化」といってよい。まして、彼の人格を疑ったりはしていない。Ｇの熱狂的ファンであるという価値観や

生き方に共感することはできないが、「異文化」なのはこの一部分だけである。第3に、私はアンチGファンのポジションにいるが、一方で、Aと私自身のどちらもそれぞれひとつの主観的な立場であって、自分が正しくAは間違っているなどとは考えていない。また、ほかにも、野球無関心派の立場、別のスポーツファンの立場、音楽ファンの立場など、さまざまなポジションの人々がいるという見通しをもっている。

　この例から、自文化と異文化のどの価値観がいい／悪い、正しい／間違っているという評価は、原則的には主観的な判断にすぎない、ということをわかっていただければと思う。それぞれの立場の人々はそれぞれの自文化つまりは自身のポジションを妥当であるとか当然であるとか思っているが、それはただそれだけのことであって、それぞれの立場は本来基本的に対等であると考えられる。現実の世界では、さまざまな力関係（強者と弱者の関係）が介在したり、ある時代の支配的な価値観——それは、第2章のクーンのパラダイム論を参照していえば、論理的・倫理的に妥当であるから支配的になっているとはかならずしもいえない——に左右されたりするので、実際には対等でないことの方がおおいが、ここではそれを考慮に入れないことにし、原則論だけとする。それぞれの価値観が基本的に対等である——しかし、現実にはそうなっていないことがおおい——という点は、身近な集団や人間関係においても、民族集団間においても、国家間においても、原則は変わらない、と私は考える。つまり、すべての主体は自身の価値観をもっており、その価値観にのっとって判断をするが、それらの価値判断のどれが正しくどれが間違っているという判断（諸価値判断にたいする価値判断）は、基本的にはこの自文化の枠組の中で、あるいは自文化に大なり小なり照らして、なされているのであって、自文化を離れてすべての立場をあまねく均等に取り上げ判断する「客観的」で「超越的」な立場からなされているのではないはずだ、ということである。私は、こと価値観の問題に関しては、そうした「客観的」で「超越的」な立場を想定できないのではないか、と考える。

　第2章の脚注3では、いまを基準に過去をみるだけでなく、未来をも

導入して考えれば、未来において現在の何かが誤っているとされる可能性はある、と述べた。これは、時系列的あるいは時間的な差異の中で価値観を相対化してみる考え方である。ここで述べているのは、これを社会的あるいは空間的な差異に変換して相対化してみよう、ということである。いまわれわれが正しいと思っていることは、未来において間違っているとされる可能性だけでなく、同時代に生きる異なる価値観をもつ人々からも間違っているとされる可能性がある。そして、ここでこの脚注に補足すべき点がある。先に、この空間的な差異の中では、それぞれの立場は本来基本的に対等であると考えられる、と述べた。とすれば、時間的な差異においてもそれは当てはまるはずであり、かならずしも過去より現在が、現在よりも未来が、正しいのだと前提はできないのである（ただし、科学はそうあろうとする努力の中にあるが）。いずれにせよ、万人にとって社会や時代を超えてあまねく正しく妥当な価値観を、はじめから想定することは難しい、と考えられる。

　重要なのは、それぞれの価値観が基本的に対等であるからといって、どの価値観や立場も基本的には正しい、と理解すべきではない、という点である。逆に、すべての価値観は、いくら自分では正しいとか妥当であるとか思っていても、別の価値観の立場からみれば偏見や歪みがあると判断される可能性がある、という点に、むしろ注目しなければならない。そして、この自己の価値観と、これに相容れない別の価値観の、どちらが妥当であるかを判断する超越的な外部の視点は、さしあたり想定できない。こうした状況、つまり超越的な立場を否定し、すべての立場を基本的には対等の――つまりはそれぞれ主観的で歪んでいるとされるかもしれない――立場と考える状況こそ、異文化理解のフィールドとなる。なお、もし自己の立場を正しいと前提しそこから出発するのであれば、自己と異質な価値観を理解するよりも、この（誤っていると自己が判断した）他者の価値観を改善することが必要な作業になるだろう。また、逆に、他者の価値観こそ正しいのではないか、と考えるのであれば、なすべきことはまず自己の価値観の改善になるだろう。それらの場合、いずれも、なすべきことは異文化理

解という主題とは異なるものとなる。自己の価値観も他者の価値観もさしあたりは否定しない（ただ全面的に肯定もしない）からこそ、異文化理解が取り組むべき主題となるのである。

文化相対主義と自文化中心主義
　こうした状況では、たがいに異なる価値観をもつ者同士が対話を行い、さしあたり認め合える範囲の合意を得るとともに、たがいにたがいの違いを認識していくという姿勢が重要である。むろん、実際には、時間をかければ合意ができるという保証はない。ここで述べているのは、あくまで基本的な考え方にすぎない。ただ、これとは逆に、たがいが自己の価値観に沿った主張をするだけでは、まったくの混乱に陥るか、その中で力をもった一部の勢力が彼らと異なる価値観をもった者たちを支配し、この強者の価値観を押しつけるということになりかねない。それは、およそ対話にもとづく異文化理解に逆行する方向性である。重要なのは、相互対話——異文化をもつ他者との対話——であり、この対話を開く状況を構築することである。それが「異文化理解」の姿勢である。
　そのためには、完全に主観的な歪み／偏見を脱した価値観はありえないと考える前提に立って、たがいが自己のありうるかもしれない偏見や歪みを反省するまなざしをもつとともに、たとえ自己の価値観に相容れなくとも相手の価値観をはじめから否定しないで、さしあたりは理解しようとする態度をもつことが必要であろう。これが「文化相対主義」である。本章の冒頭において、それぞれの価値観を優劣や上下の関係で見てはいけない、という通常の意味での文化相対主義に、若干の問題があると述べた。それは、こうした考え方が、それぞれの価値観をそれぞれの立場にとって正しいとみなす前提に立っているからである。つまり、「相対主義」といっておきながら、正しいものを前提としているのであり、ここにこうした考え方の論理的な弱点があるのである。本来の意味での文化相対主義は、こうしたいわばポジティヴな相対主義ではない。逆にすべてが（相手にとっては）間違っているかもしれない、だから対話を通して、さしあたり妥当と思え

る認識をつくりあげようという、ネガティヴな意味での相対主義（ギアツのいう反＝反相対主義）なのである。文化相対主義のもっとも基底的なポイントは、自他の価値観の善悪・当否を「はじめから決めつけない」という姿勢であり、対話にたいして自己を開いていこうとする姿勢である。これこそ、「異文化理解」にとって望ましい姿勢である。

これと逆に、自身の価値観に縛られていて、異なる価値観を尊重したり認めようとしたりしない姿勢、はじめから価値観の善悪・当否を「決めつけて変えようとしない」姿勢、これが「自文化中心主義」である。たがいが、どちらも自分が正しいと思っていて自身の主張を譲らず、相手の譲歩を待つだけでは、妥協は成り立つとしても、異文化の理解や異文化間の相互対話にはならない。むしろ、相互不信が募るだけであろう。したがって、「異文化理解」において自文化中心主義は極力排除すべき姿勢である。自身の自文化中心主義性に絶えず反省の目を向けつつ相互の対話を模索する姿勢、つまりは文化相対主義の姿勢が、大切である。なお、他者がいかに自文化中心主義的であるかは、よくわかる。相手の批判よりも重要なのは、自己の自文化中心主義にたいする反省である。たとえば、日本人は戦争被害や被曝についてよく語るが、アジア各地の人々からみれば日本人が加害者であったことを、彼らの立場から考えることこそ重要である。相手の自文化中心主義を告発し批判することは、こちら側のある種の自文化中心主義にもとづく場合もあり、また、それは相互対話にマイナスとなることもある。

このように、「異文化理解」は、自文化の視点から異文化を見ることではない。遠く離れた異国の文化であれ、自国の過去の文化であれ、同時代の身近な他者であれ、それらを自文化たる価値観に照らしてそのまま捉えるだけでは、平板な議論にとどまってしまう。重要なのは自己の自文化中心主義にたいする反省であって、これを伴わないものは、文化相対主義的というよりもむしろ自文化中心主義的な議論となる。異文化理解しようとする自己の視線にたいする反省的な検討があってはじめて、それは異文化理解といいうるものになる。したがって、「異文化理解」には必然的に「自文化の再理解」つまり自文化を見直す契機が伴う。

それゆえ、「異文化体験」と「異文化理解」はかならずしも一致しない。いくら異文化を体験しても、自他のギャップにたいする感受性がなければ、異文化の異文化性を理解することにはならないからである。また、異文化の中で生活し、その土地の言葉と習慣、人々の価値観・生き方を理解し、バイリンガル／バイカルチュラルになったとしても、それだけでは異文化を理解していることにはならないだろう。それは2つの自文化を獲得しただけかもしれないからである。

結論を先取りしない＝相対主義
　さて、別の角度から整理しよう。「文化相対主義」は、自分の価値観は自分にとっては正しいとしても、だからといってそれが他者にもただちに当てはまるとはいえない、むしろ他者にとっては別の価値観が正しい「かもしれない」と、さしあたり考えようとする立場である。これは、考えようによってはきわめて不自然な考え方ではあるが、しかし他者との対話をもくろむならば、不可欠の態度である。一方、「自文化中心主義」は、自身の価値観が自分にとっても他者にとっても正しいのであり、それ以外の価値観は間違っていると、はじめから結論づける立場である。本来、価値観は、歴史の中で、さまざまな異文化との対話を通して形成されるものである。そもそも、生まれてからおなじ価値観のままに生きている人はいない。どこかでそれまでとは違った価値観に接し、それを取り込んでいるはずであるが、自文化中心主義者はそのことに気づかないのだといえる。価値観は社会によって、時代によって、究極的には個人によって、また当人の成長によっても、変わりうるという仮説を受け入れる思考、真理や真実は俯瞰すれば複数ある「かもしれない」、自分が正しいと考えていることも立場を変えれば誤りと判断される「かもしれない」という仮定を受け入れる思考が、文化相対主義である。
　重要なのは、これは結論ではなくて、あくまで「前提」ないし「過程」における態度である、という点である。たとえば、いくら対話を積んでも、その時点では「私にはこの価値観は絶対間違っているとしか思えない」と

いう場合もある。とくに、こちらが相手の立場を尊重しようとしているのに、相手が自己中心的／自文化中心主義的であれば、そう思えることはあるであろう。また、ある時点で一方が間違っていることが自他にとって明らかになり、真実がひとつであることが明らかになることもあるだろう。こうした当面の結論に達することは、むしろよくあることである。さしあたりの出発点や対話の途中で結論を先取りしないということ、つまりは、上に述べたように「はじめから決めつけない」ことが、文化相対主義のエッセンスである。

　では、ここで質問である。われわれにとって自文化が正しいのとおなじように、彼らにとっては彼らの自文化（われわれにとっては異文化）が正しいのである、たがいにそれぞれの価値観を尊重し合うことが重要である、という思考は、文化相対主義であろうか、あるいは自文化中心主義であろうか？

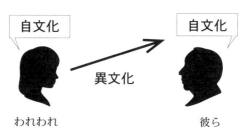

「それぞれの異なる価値観を尊重し合おう！」
自文化中心主義？文化相対主義？

　私は、こうした考え方が、自己と他者それぞれにとっての価値観の正しさをはじめから前提している点で、自文化中心主義である――われわれの自文化中心主義と彼らの自文化中心主義の並存をよしとする――と考える。また、「たがいに尊重し合う」という美辞麗句をもちいているものの、自他の間の価値観の差異を相互に理解しようとする姿勢を欠落させているとすれば、それは「相互不干渉」に限りなく近い考え方であるという点も指摘できる。これは、民族主義者やファシズムの立場に通じるものともなり

うる。文化相対主義は、たがいの価値観の「絶対」を譲歩し合おうとする立場であって、たがいの価値観の「絶対」を認め合おうという立場ではないからである。しかし、ここで述べているような自文化中心主義の並存が、誤って文化相対主義として論じられることがあるので、注意したい。

文化相対主義は、自己と異なる価値観をただ受け入れるということではない。そうした異文化にたいする野放図な寛容はきわめて危険でもある。そもそも、そこには、自他のギャップを感じ考えるという異文化理解の過程が存在しない。対話を志向する営みの中に、この文化相対主義という立場が位置づけられなくてはならない。

column 8　さまざまな価値観を尊重することは論理的矛盾に陥る

本文では、「はじめから決めつけない」ことが文化相対主義のエッセンスであると述べた。文化相対主義を、さまざまな価値観をたがいに対等なものとみなしてそのいずれをも尊重する立場と捉え、そうした寛容な人間でありたいと思ってきた読者にとっては、いささかショックであるかもしれない。

しかし、あらためて考えてみてほしい。「さまざまな価値観を尊重する」とは、煎じ詰めれば、「どれも正しい」と肯定する立場である。その場合、たとえば、核兵器に反対する価値観も賛成する価値観もどちらも正しい、とすることが、論理的に矛盾に陥ることは明らかである（一方、たとえば環境重視と経済重視はかならずしも正反対ではなく、論理的には調停の道がありうる）。こうした正反対の価値観が、ときに世界で対立関係をつくっている現状がある。異なる価値観を尊重しようとすること自体は誤りではないが、対立が先鋭化しているところで安易にどちらも「尊重する」ことはできないのである。

おわりに

　以上、文化相対主義と自文化中心主義について論じた。この章の議論は、抽象的でわかりにくいかもしれない。ただ、①客観的で超越的に正しいものを想定しない、②結論をはじめから先取りしないで過程の中で考えようとする、のが文化相対主義であり、③逆にはじめから正しいものや正しい答えを決めつけるのが自文化中心主義である、というポイントが理解されれば、さしあたりは十分である。人類文化の研究において、異文化理解が何であるかを把握することはきわめて重要である。しかし、この異文化「理解」はなかなか「説明」しにくい。また、異文化理解には、「模範回答」はあるかもしれないが、たったひとつの「正解」を期待することはできない。そこで、具体例を通して異文化理解のレッスンを重ねていくことが望まれる。次章では、そのレッスンとして、セクシュアリティ関連のトピックを取り上げることにしよう。

主要文献

ギアツ，クリフォード
　2002　『解釈人類学と反＝反相対主義』、小泉潤二編訳、みすず書房。
春日　直樹・竹沢　尚一郎（編）
　2021　『文化人類学のエッセンス――世界をみる／変える』、有斐閣。
内藤　正典
　2004　『ヨーロッパとイスラーム――共生は可能か』、岩波書店。
　2020　『イスラームからヨーロッパをみる――社会の深層で何が起きているのか』、岩波書店。
小田　亮
　1995　「民族という物語――文化相対主義は生き残れるか」、合田濤・大塚和夫（編）『民族誌の現在――近代・開発・他者』、pp. 14-35、弘文堂。
大塚　和夫
　1989　『異文化としてのイスラーム――社会人類学的視点から』、同文館。
吉田　竹也
　2021　『神の島楽園バリ――文化人類学ケースブック』、樹林舎。

第11章
異文化としてのセクシュアリティ

セクシュアリティ研究

　セクシュアリティという概念は、性志向・性アイデンティティ・性役割など、広い意味での性および性愛や生殖までを含意する。セクシュアリティ研究は、社会学・文化人類学・歴史学をはじめ、人文社会科学の幅広い学問領域にまたがっている。この章では、異文化理解という観点から、そうした議論の一部を紹介していきたい。
　その前に、セックスとジェンダーという2つの概念に触れておこう。一般に、ジェンダー（性差）は後天的・文化的な男女の違い（いわゆる男らしさ、女らしさ）、セックス（性別）は染色体レベルで決まる男女の違いをそれぞれ指す、といわれる。父からY染色体、母からX染色体を受けとればセックスは男に、両方からX染色体を受けとればセックスは女になるが、すべての人がかならず男女どちらかに分類されるわけではなく、たとえば、Y染色体の中の睾丸（精巣）形成に関わる遺伝子の欠損によりXY女性として生まれるという場合もあれば、睾丸と卵巣を両方もって生

まれるという場合（真性半陰陽）もある。性・性愛に関する諸現象をヒトの遺伝情報から解明する研究が進めば、これまで後天的な要因とされていたものが先天的な要因に由来するものとされる可能性はある。重要なのは、言語などと同様に、性・性愛についても「自然」と「文化」は絡み合っており、単純にセックスとジェンダーを区分することはできない、という点である。とくに、生殖医療技術の発展――体外受精、代理母、出生前診断など――は、生や性の「自然」と「文化」の境界を流動化させている。セクシュアリティ研究は、セックスとジェンダーつまり性・性愛に関する自然と文化の絡み合い、そして個人と社会・歴史・権力の複雑な関係性を、捉えようとする。

　従来、日本では、性について語ることを敬遠する傾向があった。また、性について異なる価値観をもつ者同士が対話するという機会もあまりなかったように思われる。性について異文化が存在すること自体が、この対話や議論の欠如により隠蔽されてきた可能性がある。性をプライベートなことであると考えたり、それを語るのが恥ずかしいと感じたりするのは、ひとつの文化（価値観）のあり方にすぎない。第2章で触れたフーコーは、こうしたセクシュアリティの私性も歴史的そして社会的な構築物であると考えた。この章では、そのことも念頭に、常識の中に潜むセクシュアリティをめぐる自文化中心主義を相対化しようとする。

家族・結婚観の比較文化論

　まず、家族・結婚観について取り上げたい。結婚・夫婦関係やそれにもとづく家族をめぐる価値観を、現在の日本人と過去の日本人、および現在のアメリカ人と過去のアメリカ人の間で、ごく簡単に対比することによって、(1) 異文化性の程度には、国や地域の差異ばかりでなく時代の差異も考慮に入れるべきである、(2) 異文化の理解と自文化の再理解とは表裏一体である、(3) 自文化中心主義への自己反省が大切である、といった点を確認し、前章の議論のおさらいとしておきたい。

　現代の日本人の家族・結婚観は、もちろん人によってさまざまだが、お

おむねそこに、①夫婦の愛情を重視する（ゆえに愛がなくなれば離婚する）、②男女平等を志向する（実態はともかく）、③夫婦はたがいに助け合うべきものとみなす、といった一般的傾向を見て取ることができる。では、いまから100年ほど前の日本人の場合、どうであっただろうか。こちらももちろん個人差はあったであろうが、以下のような一般的傾向はあった。①結婚は個人と個人の問題である前に家と家との問題であった（家格が重視された）、②結婚し子どもをもうけて家を絶やさないようにすることが大切であった（ゆえに、子どもができない嫁に夫が一方的に離縁を告げる習慣があった）、③それらの点で、愛情は夫婦関係の必要条件ではなかった、④相続は、地域によっても差異があったが、基本的に長男の一子相続であり（現民法では均分相続だが、旧民法は一子相続であった）、子どもの中でも長男は優遇された、⑤夫唱婦随という言葉があったように、夫が主、妻が従という考え方があった。以上は、かなり単純化し一般化した対比にすぎない。しかし、これらの家族・結婚観をめぐっては、現在の日本人と過去の日本人との間に、相当な価値観の差異があると考えることはできるだろう。逆に、現在の日本人の価値観と、現在のアメリカ人の価値観との間には、それほどの差異はないように思われる。国や社会の違いよりも、時代の違いの方が、この場合はより「異文化」性の度合いがおおきいといえるだろう（もちろん、別の価値観の面を取り上げれば別の結論になるだろうが）。

では、なぜ現代日本人の家族・結婚観は、過去の日本人のそれと対照的なものとなったのだろうか。そのおおきな要因は、戦後の日本人の中に欧米の平等主義的な価値観が浸透し定着したことにあると考えられる。日本人の価値観は、第二次世界大戦を挟んでおおきく変容した[9]。こうした時

※9 ただし、ここで100年前の日本人の価値観としたものも、以前からずっと続く「伝統的」な日本人の価値観ではなく、帝国日本の近代国家体制の下で創出された新しい「伝統」であった可能性がある。西日本では多産・核家族・均分相続の傾向が、また東北日本では少子・拡大家族・長男相続の傾向があったなど、地域によってもまた時代によってもさまざまな傾向はあった。そうした多様性は、明治以降の近代化の中で変容し均質化に向かったのである。

代による変化あるいは歴史性を踏まえて、価値観の対比を行う必要がある。

　ところで、読者の中には、上記のような過去の日本人の家族・結婚観は、「封建的」で「女性差別的」であり、誤った考え方である、と感じる方もいるのではないだろうか。しかし、そうした捉え方は、現在の日本人の自文化を基準として異文化をみる——そして自文化を肯定し異文化を否定する——自文化中心主義的な偏った理解ではないだろうか。

　そのことを、30年後の日本人の価値観を仮に設定して、考えてみたい。30年後の日本人の家族・結婚観がどうなっているかは、もちろん想像の域を出ない。しかし、それを論理的に予想することはある程度できる。戦後の日本では、欧米の価値観を受容——タルド（第2章）がいう「模倣」——する傾向があった。欧米人においてある時代に支配的となった価値観が、若干遅れて日本人の中でも支配的になる、という傾向があるとすれば、30年後の日本人において一般的となる価値観は、現在の欧米人においてある程度定着し今後ますます支配的となっていくと予想される、しかし日本ではまだ前兆程度にすぎないような、価値観である可能性が高い。では、具体的にどのような価値観がそれに相当するだろうか？

　私は、そのひとつに、同性愛者にたいする寛容な価値観があると考える。同性婚を認める法の施行は2001年にオランダではじまり、欧米と南米を中心に20以上の国に広まっている。2014年に国連は、国籍に関係なく国連職員の中では同性婚が認められるとした。日本では、同性カップルに結婚相当関係を認める条例を制定した自治体が、2015年の東京都渋谷区を皮切りに、2021年7月時点で100をこえている。同年3月には、札幌地裁で、同性愛者に結婚の法的効果の一部すら認めないのは法の下の平等を掲げる憲法14条に反するとし、同性カップルの婚姻届を受理しない現行制度を違憲とする判決があった。30年後には、日本でも、同性婚が認められているかもしれないし、同性愛に寛容な価値観や常識はより浸透しているだろう。そうなったと仮定して、ここに、同性愛に否定的で同性婚を異性婚と同様には認められないという価値観をもつ、現在20歳前後の読者がいるとする。彼女／彼は、将来、同性婚を当然とする価値観を

もつ自分の子に、こういわれるかもしれない。お母さん／お父さんは、結婚は男女のものと考えているが、それは「封建的」で、「同性愛者差別的」であり、誤った考え方である、と。いまを基準に過去をみるだけでなく、未来をも導入して考えれば、未来において現在の何かが誤っているとされる可能性はある（第2章脚注3）。同性愛に否定的な価値観は、同性愛者の人権を無視した差別的な考え方として、今後批判される余地は多分にある。重要なのは、別の価値観をもった他者からみれば、自身が自文化中心主義であるかもしれない、ということを自覚することである。

　時代が違えばそこに「異文化」があるという点に関して、付け加えておきたい点がある。現在の価値観と過去のそれとの間には、差異や断絶もあるが共通性や連続性もある。たとえば、地域差・階層差はあるが、元禄時代（1688年～1704年）の文化や価値観の中には現代に受け継がれているものがかなりある。では、この時代のアメリカ人と現在のアメリカ人の間ではどうだろうか。元禄時代は、合衆国建国の90～70年前に当たる。したがって、前者のアメリカ人は、ネイティヴ・アメリカンを指すと考えてよいだろう。では、後者のアメリカ人は誰を指すのか。読者の大半は、ヨーロッパとくにアングロサクソン系の移民の子孫をイメージしたのではないだろうか。しかし、それは、前者の先住民の子孫にとっては、誤った捉え方とされる可能性がある。17世紀初頭から本格的に入植をはじめ、先住民の土地を奪って合衆国を建国したのは西欧系の移民たちだったが、真のアメリカ人は先住民を指すというのが彼らの理解といってよいからである。彼らの前で、「日本人」がアングロサクソン系の移民の子孫を「アメリカ人」の典型とみなして発言することは、彼らの尊厳を傷つけることになるかもしれない。「アメリカ人」の文化が誰のどのような価値観を指すのかをめぐって異なる見解が存在することに、われわれは自覚的である必要がある。その意味では、「アメリカ文化」という括り方はきわめて大雑把であり、かつ論争を孕んでいる。同様に、「日本人」にアイヌ人が含まれるのかどうかを考えれば、「日本文化」という括り方も論争含みであることがわかる。こうした民族や国民をめぐるアイデンティティ問題

は、近代の産物といいうる面がある。いずれにせよ、安易に民族や国民を一元化して捉えないことは大切である。

column 9　同性婚をめぐる司法・立法・行政府

　現在の日本では、同性婚は法的に認められていない。パートナーシップ条例は100以上の自治体で存在し、全国の人口のほぼ半数をカバーするまでになっているが、国が家族関係を認めるにいたっていないため、同性パートナー間の遺産相続や配偶者控除はできない。最愛の人であるパートナーの手術に署名できない、臨終に立ち会えない、といったケースもある。それゆえ、同性カップルに婚姻または相当の法的認定をもとめる声は次第に広まってきている。

　本文で触れた2021年札幌での裁判において、国は、伝統的に結婚は子どもを産むことと結びつけて考えられており、いまも結婚は男女のものという考え方が一般的である、と主張した。しかし、札幌地裁は、こうした国の主張を退け、異性を愛するか同性を愛するかという性的指向は性別などとおなじく自分の意思で選んだり変えたりできないものであって、同性か異性かで法的に得られる利益に差があるのは差別に当たる、とした。こうして、法の下の平等を定めた憲法に違反すると結論づけたのである。ただし、国民の意識が変わってきたのは比較的最近のことであり、国が法律を変えていないから賠償をすべきであるとまではいえない、とした。原告側は、国が立法を怠ったと認めなかった判決を不服とし、控訴した。

　札幌に加え、東京、名古屋、大阪、福岡でも、同様の裁判が進行している。時間をかけ、複数の裁判を通して、司法の判断は社会に示されていくことになる。しかし、立法府つまり国会における議論はまだ何も進んでいない。2021年の衆議院選挙では、史上はじめて同性婚を認める法の整備が（自民党をのぞく）主要政党のマニフェストに掲げられたが、選挙のおもな争点とはならなかった。

　今後、立法府と内閣は自ら動くのか、司法の判断を受けてから対応に入っていくのか。国民はそれをどう考え、行動するのか。

ミードのジェンダー研究

　マーガレット・ミードは、ジェンダー（性差）や性役割が、生物学的なものというよりも文化的なものであることを、太平洋諸社会における自身のフィールドワークにもとづくデータに即して論じた。ミードのジェンダー研究としてよく知られているのが『サモアの思春期』である。彼女は、1920年代の欧米では常識とされた、思春期の女性のストレスや反抗的態度がポリネシアのサモアの少女には見られないということを論じ、思春期の葛藤が文化的なものであることを指摘したのである。ただし、その民族誌データには問題があるという批判も、フリーマンなどからはある。

　もうひとつ、これもよく知られているのが、ニューギニアのセピック川流域の3つの部族の性役割を比較した『3つの未開社会における性と気質』である。この著書は、ミードが1931年から2年ほどセピック川流域で行った調査にもとづく民族誌である。ミードの議論の概略を述べる。

　アラペシュ族は、山岳地帯に住み、焼き畑を行う農耕民であるが、食糧不足がつねにつきまとう。一夫多妻婚で、男性も女性も温和で争いを好まない。この争いの否定・回避がこの部族の特徴である。この社会では、穏やかで協力して働くことが強調される。子どもはかわいがられ大切にされる。しかし、厳しいしつけをしないため、15才くらいまではよく癇癪を起こす。温和な反面、大人もよく泣き、怒るとヒステリーを起こす。要するに、男女とも、欧米でいうところの「女性的」な気質をもつ社会である、というのがミードの議論である。

　ムンドゥグモル族は、川のほとりに住み、いわゆる首狩りの習慣をもつ。男性も女性も厳しく厳格に育てられ、攻撃的で猜疑心がつよく、凶暴で嫉妬深い。子どもにたいしては冷淡で、邪険に扱う傾向がある。男性は生業には関わらないが、首狩りにいくため、勇気や忍耐が必要であり、女性は漁労やサゴヤシでんぷん採取に関わるため、力と協力が必要である。女性も取っ組み合いの喧嘩をよくする。つまり、男女とも欧米でいう「男性的」気質である、とミードはいう。

　チャンブリ族は、チャンブリ湖の小島に住む、人口500人ほどの小規

模な集団である。生業は漁労と交易であり、どちらも女性が取り仕切る。女性は支配的・積極的・行動的であり、漁労で鍛えた筋肉によりたくましい体をしている。一方、男性は受動的で依存心が強く、温和で優しく控え目であり、傷つきやすく、女性に引け目を感じる。男性は生業にあまり携わらず、仮面作り・儀礼・踊りに明け暮れる芸術家である。男性の夢は踊りの名手になることである。このように、ミードによれば、チャンブリは欧米と男女の気質が逆転した社会である。

　以上のようなミードの議論に関しては、サモア研究とおなじく、民族誌データに一面的なところがあるという批判はある。たとえば、チャンブリ族の場合、女性は経済を牛耳っているものの、道徳性と知識においては男性に劣るということを表明する儀礼にしたがっており、女性が男性にまさる権力をもっているとはいえないのである。ただ、細部はさて措き、男性的／女性的という気質が先天的なものではなく、育児方針により後天的に形成・規定される部分がおおきいというミードの主張自体は、妥当なものとして受け止められている。

　こうした研究から次のような点が導かれる。性差（男らしさ・女らしさ）や性役割は文化・社会によるところがおおきい。したがって、文化・社会が男性中心主義的なものであれば、当然そこで培われる性差・性役割も男性に優位なものとなり、男の支配に有益な男性・女性が再生産される、という循環構造がある。ただ、それが文化によるものであれば、制度的な改善は可能であり、また改善をはかっていくべきである。こうして、ミードのジェンダー研究は、アメリカのフェミニズム運動を支えるひとつの論点を提示したのである。

同性愛と第3のジェンダー

　次に、同性愛をひとつの「異文化」としてあらためて考えてみよう。

　現在の日本人の多数は異性愛者、つまり異性に性愛の対象をもとめる人々である、と考えられる。この異性愛者は、異性愛が普通あるいは通常の愛のかたちであると感じている。それは、異性愛が彼らにとっての「自

文化」であるからである。しかし、それゆえ自文化が正しく、これと異なる性愛を自身の生き方とする人々、たとえば同性愛者を、「間違っている」と考えるのは、自文化に偏った見方ではないだろうか。すくなくとも、同性愛者のことを何も知らずにはじめから「おかしい」と決めつけるのは、自文化中心主義であり「偏見」ではないだろうか。

　第10章では、プロ野球のGファンとアンチGファンとを対比し、どちらもたがいにとっては「異文化」であり、「おたがい様」であるとした。しかし、同性愛者と異性愛者との関係は、明らかにこれとは異なる構図となる。つまり、対等ではなく非対称な関係なのである。なぜなら、異性愛者が同性愛者を「おかしい」と思うように、同性愛者が異性愛者を「おかしい」と思うのではなく、むしろおおくの同性愛者は、自身が同性愛者であることを自覚した時点では、同性愛という自身の性愛のあり方を「おかしい」と考え、自身が「普通でない」ことに違和感や怖れを感じる傾向があるからである。最終的に自身の気持ちにしたがい、同性愛者としての人生を歩む方向にいわばふっ切る人もいるが、それまでは精神的に不安定な状態に陥ることがすくなくない。この社会が異性愛という自文化にいかに強く支配されているかが、ここからわかる。それをすぐ変えることは難しくても、この社会が異性愛者中心主義的な偏向をもっている（かもしれない）ことがすこしでもたがいに認識できるようになれば、同性愛者はそこまで苦しむことはないのではないだろうか。

　現在の日本では、たとえば障碍者・被差別集落出身者・外国人・女性にたいするいわれない差別が間違っている、ということは社会の常識になってきている（実際にはまだまだであるにしても）。たとえば、女性が女性であるというただそれだけの理由で不当な扱いを受けることが問題であることは、すでに常識になってきている。障碍者についてもそうである。2016年7月に起きた、相模原障碍者施設殺傷事件——県立の知的障碍者福祉施設の元職員が19人を刺殺し26人に重軽傷を負わせた——が忘却されないのも、障碍者にたいする差別がおよそ考えられないような暴力のかたちであらわれたことが、おおきな衝撃として社会に受け止められた

からであろう。では、同性愛者が同性愛者であるというただそれだけの理由で不当な扱いを受けることの問題は、同様の常識になっているだろうか。たとえば、おおくの同性愛者が職場で自身のことをなかなか明らかにできないのは、そうした不当な扱いが「不当」であると理解されずに放置されているからではないだろうか。

　この女性差別と同性愛者差別の間にある理解の落差という問題は、フェミニズムのあるべきあり方をどの方向性に見出すかという問題と密接に関わるものでもある。フェミニズムは、男性中心・男性優位にできている社会が歪んでおり、弱者である女性が男性によって支配され抑圧されてきたことにたいする異議申立てを行い、女性解放を実現する研究であり運動であった。しかし、女性という「性」が解放されれば、それで問題が解決するというわけではないだろう。たとえ女性が解放されたとしても、男性とも女性とも一概にはいえない／どちらでもあるといえる人々が解放されないままに残ってしまえば、性差別の歪んだ構造は温存されてしまうからである。具体的にいえば、いわゆるLGBTQ（Lesbian, Gay, Bisexual, Transgender, Queer/Questioning）などと総称される人々の中には、男であると同時に女でもある、女であると同時に男でもある、あるいは100％男とも女ともいえないような、ある種の両義的（第1章）な人々が含まれる。たとえば、心は女で肉体は男であるという人が男性を愛した場合、世間は通常これを「同性愛」とみなすであろうが、心の方を重視すれば、むしろこれは「異性愛」と捉えられるべきであろう。このように、何が同性愛で何が異性愛か、彼／彼女は同性愛者なのか異性愛者なのかは、何を基準にみるかによって異なってくる。さらに、性志向が同性愛・異性愛にまたがる人々もいる。こうした、男と女の2つのカテゴリーに明確に割り振ることのできないセクシュアリティをもつ人々を、ここでは第3のジェンダーと呼んでおこう。この第3のジェンダーは、日本ではまだ「常識」の中で十分可視化されていない、いわば目に見えない存在といえる。

　そして、女性解放を掲げる古典的なフェミニズムもまた、この第3のジェンダーを可視化し議論に組み込めてはいなかった。社会が男と女とい

う2つのジェンダーから成り立つものと仮定すれば、男性支配の構造を是正し女性を解放することが課題の解決になりえる。しかし、第3のジェンダーという存在に着目すれば、これまでの社会は、男が女を抑圧すると同時に、男女という2つのジェンダーがともに第3のジェンダーを支配し抑圧する構造をももっていたということになる。この不可視の抑圧構造が明らかにされ是正されなければ、たとえ女性が抑圧から解放されて男女対等な社会が実現したとしても、それは目に見える範囲の性の支配・抑圧の解決にすぎない。女性が解放されるだけでは、目に見えない抑圧構造は保存され固定化されるであろう。それは、第3のジェンダーにとっては最悪の事態の到来であろう。問題は解決済みとされるのだから。

　ただ、そうはいっても、やはり女性の解放を当面のあるいは一義的な主題とするという立場はある。一方で、女性以外の性にたいする差別や抑圧を最初から主題とすべきだという立場もある。こうして、フェミニズムは、20世紀後半のある時期から複雑に枝分かれしていくことになった。「女性」に限るべきではないという後者の立場のひとつが、ポストモダン・フェミニズムと呼ばれる一派である。フェミニズムの中で育った相対主義は、女性という基盤をも相対化したのである。また、別の問題に対峙する立場もある。そのひとつが、先進国の女性と途上国の女性の間にある非対称的関係である。女性たちはそれぞれの社会体制の中で男性中心主義の抑圧を受けているが、先進国による途上国の支配・搾取こそ問題であって、先進国の女性は途上国の女性を抑圧する「男性」的な位置にいる、というのである。そうした経済的・政治的支配との絡みを主題化したのが、マルクス主義フェミニズムやブラック・フェミニズムと呼ばれる立場である。日本の女性も欧米と同様に、「男性」的な位置にいると考えられる。

　以上、日本社会を念頭におき、この社会の「自文化」つまりは常識が、男と女という2つのジェンダーを設定する枠組みをもっていること、しかしそれはひとつの文化にすぎないこと、こうした自文化を相対化してみることが必要であること、をここまで述べてきた。では、この相対化の一環として、別の文化に目を向けてみよう。ここでは、男と女以外の第3

のジェンダーを設定する枠組みをもった異文化のひとつとして、北米原住民のいくつかの社会にあった、いわゆるベルダシュ（berdache）をめぐる伝統的な価値観と習慣に、簡単に触れておきたい。

　ベルダシュは、生物学的には男であるが、男と女の両方の精神を兼ね備えているとされ、子どものころからいくつかの点で女性のように振る舞っている。この両性の精神をもつという点で、彼らは人々から高い尊敬を受ける。彼らは男性と正式に結婚することもできる（ベルダシュ同士では結婚できない）。この夫と性生活を営むが、子どもはできないので、この夫「婦」は養子をもらって家族を形成し、子孫を残すこともできる。このように、ベルダシュのつくる夫「婦」関係を、われわれの社会の語彙にある「同性愛」へと単純化して理解するべきではないであろう。むしろ、このベルダシュの例は、彼らが社会の中で深い敬意を受けているという点も含めて、いかにわれわれの自文化が、潜在的には多様であるはずのセクシュアリティを男と女という単純な枠組みに還元しているかを、示している。

おわりに

　以上、セクシュアリティに関わるいくつかのトピックに触れてきた。読者の中には、議論の趣旨はわかるが、そうはいっても、いまのところ同性愛者の価値観や心情を理解することは難しい、という当面の結論をもっている人もいるだろう。私は、それはそれでとりあえずよいのではないかと思っている。重要なのは、第10章で述べたように、さしあたり対話を志向し異文化を理解しようとすることであり、第4章の最後で触れたように、自分とは違った価値観をもつ人々とともにある社会をよりよく生きていこうとすることであろう。

　本来ならば、こうした異文化理解のレッスンをもうすこし積み重ねたいところであるが、これまでの3つの章の中で、すでに文化相対主義のエッセンスはある程度示すことができたと考える。そこで、次章からは、また別の主題に移ることにしたい。それは、この複雑な現代社会をどう理解するか、である。

column 10　10週間体毛剃りをやめる女性／体毛剃りをつづける男性という課題

　法哲学者の吉岡剛彦は、アリゾナ州立大学のある授業で出される課題を紹介している。「これから10週間、女性は、わき毛や陰毛、すね毛など、首から下の体毛を生やしつづけなさい。逆に、男性は、これとおなじ部位の体毛を剃りつづけなさい。その間の体験をレポートにまとめたら、期末試験を受けなくても、最低限、単位は保証します」。

　レポートは、毎週の経過報告と最終の総括からなる。脱毛しない／するという非女性的／非男性的な規範にしたがい感じたこと、自身の性意識や行動などへの影響、自分が体毛剃りをやめた／剃っているのを見た周囲の人々の反応、その反応を受けた自身の感情、性規範についての考察、などを書けば、それなりの成績が付与される。受講者のおおくがこの課題に参加するという。体毛剃りという一方の性への規範の浸透や自己管理を実験的観察から知る、というのがこの課題の趣旨である。

　ただ、注意すべき点もある。吉岡が補足するように、女性／男性の性自認は二者択一ではなくグラデーションをなすが、この課題は女性と男性を二項対立化した枠組みの上にある。さらに、現代日本では、男性を自認する人々の中に一部の体毛の処理や永久脱毛が広まりつつある。ひげや体毛を男性性の象徴とみなす感覚が日本では希薄であるという、文化的差異が背景にあると考えられる。また、世代差もある。体毛を剃る高齢男性はすくない。この課題の回答は、若い世代で偏差に富むものとなるはずである。

　仮に私が授業担当者なら、この課題の前提に切り込む内容のレポートに高評価を与えるであろう。ただ、この体験をきっかけに新たな自己を発見し新たな出会いに走る人もいるかもしれない、と考えると、課題の実行にはためらいが生じる。そもそも、これほどプライバシーに深入りする内容の課題を、私は授業で要求できない。個人差、世代差、文化的差異、社会経済の変化など、複数の論点にも目配りした、別の課題に組み換えられるとよいのだが。

　また、どのような課題に変えるとよいのかを、レポート課題に設定することもできるだろう。読者なら、どのような課題を課すだろうか？

主要文献

フリーマン，デレク
　1995　『マーガレット・ミードとサモア』、木村洋二訳、みすず書房。
ギルモア，デイヴィッド
　1994　『「男らしさ」の人類学』、前田俊子訳、春秋社。
速水　融
　2012　『歴史人口学の世界』、岩波書店。
井上　俊・上野　千鶴子・大澤　真幸・見田　宗介・吉見　俊哉（編）
　1997a　『岩波講座　現代社会学　第10巻　セクシュアリティの社会学』、岩波書店。
　1997b　『岩波講座　現代社会学　第11巻　ジェンダーの社会学』、岩波書店。
伊藤　公雄・牟田　和恵（編）
　2015　『ジェンダーで学ぶ社会学〔全訂新版〕』、世界思想社。
風間　孝・河口　和也・守　如子・赤枝　香奈子
　2018　『教養のためのセクシュアリティ・スタディーズ』、法律文化社。
ミード，マーガレット
　1976　『サモアの思春期』、畑中幸子・山本真鳥訳、蒼樹書房。
Mead, Margaret
　1935　*Sex and Temperament in Three Primitive Societies,* New York: Morrow.
宮本　みち子・岩上　真珠（編）
　2014　『リスク社会のライフデザイン——変わりゆく家族をみすえて』、放送大学教育振興会。
牟田　和恵
　1996　『戦略としての家族——近代日本の国民国家形成と女性』、新曜社。
大越　愛子
　1996　『フェミニズム入門』、筑摩書房。
谷本　奈穂
　2008　『恋愛の社会学——「遊び」とロマンチック・ラブの変容』、青弓社。
山下　晋司（編）
　2005　『文化人類学入門——古典と現代をつなぐ20のモデル』、弘文堂。
好井　裕明
　2022　『「感動ポルノ」と向き合う——障害者像にひそむ差別と排除』、岩波書店。
吉岡　剛彦
　2021　「このワキ毛、剃る剃らないは私が決める——女性の身体をめぐるジェンダーと自己決定権」、林田幸広・土屋明広・小佐井良太・宇都義和（編）『作動する法・社会——パラドクスからの展開』、pp. 184-214、ナカニシヤ出版。

NHK解説アーカイブス
　2021　「"同性婚認めないのは憲法違反"初の司法判断」（時論公論）
　　（https://www.nhk.or.jp/kaisetsu-blog/100/445383.html）

第 12 章
現代社会の複雑性とリスク

水俣市街と新日本窒素肥料水俣工場（昭和 37 年）

　これまでの議論から、人類文化の多様性を考える上でも、普遍性を考える上でも、あるいは異文化を理解する上でも、いま自分たちが生きているこの時代の社会や文化について突き詰めて考えることが基盤になる、ということにあらためて気づいた読者もおおいのではないだろうか。クーンはパラダイム論で科学が時代の制約を受けていることを示したが（第 2 章）、そもそも広義の文化全体が、当事者が自覚しないところで時代そして社会の制約を大なり小なり受けている。

　そこで、以下の 3 章では、われわれが生きているこの現代の社会と文化をみつめ直してみたい。ただし、現代社会の構造や特徴について網羅的に触れることは、残された紙幅からしても、なかなか難しい。そこで、以下ではトピックを絞り込むことにしたい。第 12 章では、現代社会を複雑性とリスクという観点から捉える。そして、そこから人が人を研究するということの倫理的問題に触れる。次に、第 13 章では、この第 12 章の議論の延長線上において、原子力／核をめぐる戦後日本の価値観を取り上げる。そして第 14 章では、持続可能性について検討することにしたい。

※写真＝新日本窒素労働組合旧蔵資料（熊本学園大学水俣学研究センター所蔵）

信頼とリスク

　われわれがいまこうして生きている現代の日本社会を、読者は基本的に肯定的に評価するだろうか、あるいは否定的に評価するだろうか？

　たとえば、グローバルに流通する近代科学技術に注目すれば、肯定的な評価となるであろう。衛生環境が向上し、乳幼児の死亡率は減り、平均寿命は延び、物質的に豊かで便利な生活を享受することができるようになった。しかし、第2章で触れたように、そうした利便性の一方で、食の安全、住の安全、命の安全を脅かすような事態も、ときに生じるのが現代社会である。医療が進歩し難病に治癒の見込みが出る一方で、ずさんな管理体制による医療事故も起きる。医学が進歩したからこそ、さまざまな病気が発見され、新型ウイルスの脅威も共有されるようになった。また、農業の技術革新とそのグローバル化は、食物となる生物の多様性を切り詰め、将来的なリスクを高めている。

　人間関係の面では、近代化・都市化の中で、地縁・血縁によって成り立つ共同体的な絆は次第に解体されてしまった。かつて人々は、いつも顔を合わせ、たがいのプライバシーまでを知り合う、厚みのある人間関係の中で生きていた。それゆえ、友達は探したり増やしたり選択したりするものではなかった。たとえば、のび太は、ジャイアンを嫌いになることはあっても、ジャイアンと友達の縁を切ることはないであろう。「ドラえもん」は、共同体的な絆がまだ維持されている時代の日本社会を描いている。濃密な人間関係にわずらわしさを感じる読者もいるだろうが、人類は長くその種の濃密な人間関係の中で生きてきたのであり、その解体は人類文化の遺産の喪失に当たるのかもしれない。また、2021年警察庁データによれば年間約2万人が自殺し（1998年からの14年間は3万人超が自殺していた）、若者が未来にあまり希望をもてない日本社会は、物心両面で豊かな社会であるとはいえないのかもしれない。こうしたマイナス面に注目すれば、全面的に肯定的な評価を与えることも難しいであろう。

　さて、ギデンズは、そうした共同体的な人間関係にもとづく社会生活のあり方を「埋め込み」（embedding, embeddedness）、複雑で広範で匿名的

なネットワークにもとづく現代的な社会生活のあり方を「脱埋め込み」(disembedding)、と定式化した。たとえば、かつて人々は、食糧を、自ら栽培したり狩猟採集したりして獲得した。あるいは、たがいによく知った間柄で交換したり売買したりした。しかし、現代のおおくの日本人は、スーパーマーケットなどの店舗で、見知らぬ人が生産し販売する肉や野菜や米を買っている。これが脱埋め込みの一面である（そして、スーパーマーケットの食品売り場の横に生産者の名前や写真が添えられているように、現代ではそうした匿名的なネットワークの中にふたたび具体的な人間関係を織り込もうとする傾向もある。これを、ギデンズは「再埋め込み」と呼ぶ）。住居についても、かつては、自分たちで家を建てたり、よく知る大工などの専門家に頼んで建てたりした。しかし、現代人は、相手を直接よく知らなくても、広告や評判にもとづいて専門家のいる工務店や住宅メーカーと契約し、家を建てたり買ったりするようになった。匿名で広範なネットワークにもとづき生産・売買されるからこそ、食品や住居には不良品・表示偽装・耐震強度偽装などの問題が過去に生じた。もちろん、埋め込み型の社会がゼロリスクの社会であるというわけではないが。

　現代社会の複雑性は、個別具体的な人間関係にもとづかないところで社会の仕組みが成立していることと相関関係にある。そして、この複雑性や人間関係の抽象性・匿名性ゆえに、現代社会はさまざまなリスクを抱えている。私は、電車に乗って家と職場を往復するが、それが毎日ほぼ滞りなく可能となっている——改札機が誤作動せず、電車の停電や事故もなく、災害やテロもなく——ことは日々の奇跡ではないかと思うことがある。われわれの社会生活は多重で複雑なシステムの上に成り立っており、そこにはおそらく無数のリスクが隠れているが、通常われわれはそうしたことを意識することなく、何となく「信頼」して生きている。ギデンズやニクラス・ルーマンは、この信頼のメカニズムを、社会の基盤的メカニズムとして重視する。では、われわれはなぜ日々不安ではなく漠然とした信頼感を抱いて生きていけるのであろうか。ギデンズは、それを、人間が幼年期に家族とくに母親ら身近な人々によって愛され保護されて成長するという点

に見て取る。彼は、こうして社会的に育まれる信頼感や自己のアイデンティティを「存在論的安心」(ontological security) と呼ぶ。

　ギデンズやウルリッヒ・ベックらによれば、現代社会の複雑性の一端は、再帰性（reflexivity）の高まりという点にもある。再帰性には２つの含意がある。ひとつは、リフレクションが「反省」を意味するように、ある主体（人や組織）が自らを反省し、自らのあり方を不断に再形成していくというメカニズムである。これによって人々の価値観や社会の仕組みは絶えず変化していく。科学も、そうした再確認と改善への意志に支えられ発展してきた。自らをよりよくしていくことはよいことのように思われるかもしれない。しかし、一方で、それは自己管理体制の深化と表裏一体の関係にある。健康志向もそのひとつである。健康に生きることが重視される現代社会は、フーコーがいう生権力が全面化した社会であり（第２章）、管理化が身体を含む隅々にまで浸透した社会である。さて、再帰性のもうひとつの面は、ある主体（人や組織）があることをなすと、それがさまざまなところに波及し、翻ってその主体にも思わぬ影響を及ぼす、というメカニズムである。現代社会は、「風が吹けば桶屋が儲かる」的な、管理や予測が到底及ばない複雑な影響関係をもつ。そして、前者のような主体が意識的に行う反省・修正と、後者のような主体が意識し処理できない予期せぬ影響関係とが絡み合うことによって、思わぬところにリスクが蓄積され、ときにそれが顕在化する。現代社会は、高度な複雑性と高度な再帰的メカニズムをもつがゆえに、ハイリスクな社会なのである。

水俣学
　次に、リスクの顕在化・現実化について、ひとつ事例を取り上げたい。それは水俣病である。『地域の自立　シマの力（上）』所収の原田正純の論文におもに依拠して、概要をまとめよう。
　1956年4月23日、ある家の5歳11カ月の女子が、歩行障碍・言語障碍・もうろう状態などの脳症状を示し、新日本窒素附属病院小児科に入院した。同日、2歳11カ月の妹もおなじ症状を発症し、4月29日に入院した。

前日の 28 日には、その隣家の 5 歳 4 カ月の女子がやはりおなじ症状を発症していた。この病院の医師たちが調査したところ、近隣に 8 名の同様の小児患者がいることがわかり、28 日発症の女子の家では 8 歳 7 カ月と 11 歳 8 カ月の兄も発症した。医師たちは、5 月 1 日に原因不明の中枢神経疾患が水俣市の漁村地区に多発していると水俣保健所に届け出た。この日が水俣病発見の日とされている。初期の急性患者は 111 人、10 歳未満が 47 人、20 歳未満が 8 人、60 歳以上が 10 人であった。集団発症の 2 〜 3 年前に、猫が狂って窓から海に飛び込むということがあり、人々は猫の自殺だと気味悪がっていたという。ここで留意しておきたいのは、こうした集団発生がなければ、発見はもっと遅れたであろうこと、そして、相対的に貧しい人々の中の、さらに弱者といえる子どもがまず発症したこと、である。初期の発症者の出た地域は、水俣湾の奥にあり、ある家は満潮時には窓から釣りができるほど海に近かった。

　水俣病は、世界ではじめて報告された、環境汚染による食物連鎖を通じて起こった有機水銀中毒として知られる（2017 年には、こうした汚染や中毒を防ぐための「水銀に関する水俣条約」が発効した）。なお、水銀が海に一定量放出されれば、どこでも同様の事件が起きるというわけではない。たとえば、東京湾は相当汚れているが、泥の中に汚染物質がたまる傾向がある。しかし、水俣では、不知火海がある意味できれいであったため、魚に水銀がたまってしまい、その魚を食べた結果、人間が発症したのである。

　病気の原因の確定には時間がかかった。まず、熊本大学医学部の中で、内科はマンガン説、公衆衛生学教室はセレン説、神経精神医学教室はタリウム説と、見解が分かれた。最終的にはメチル水銀説にたどりついたが、それぞれの研究室が実験や調査をバラバラに行うという医学の縦割り問題があった。学内の他学部との協力関係、学外の組織との協力関係も、当初は十分なものではなかった。熊本大学医学部は、1956 年 9 月から聞き取り調査や魚介類・飲料水などの採取調査をはじめ、この年の 11 月には水俣湾産の魚介類の摂取による中毒症と考えられるという中間報告を提示し、翌年 1 月〜 2 月には、中毒は魚介類に媒介されており、危険が排除され

るまで魚介類を食べるべきではなく、水俣湾内の漁獲を禁止すべきであるという報告も提示した。しかし、1957年8月に、熊本県が厚生省（当時）に水俣産魚介類の販売禁止措置に関する食品衛生法適用の是非を照会すると、厚生省は湾内のすべての魚介類が有毒だという明確な根拠がないため食品衛生法の適用は不可と回答し、行政指導にとどめた。結果的に、汚染は水俣湾内にとどまらず、不知火海沿岸一帯にも広がり、被害は拡大した。このときの危機管理（リスクの顕在化への対処）は、不十分なものであったといわざるをえない。

1959年11月に、熊本大学の研究班は厚生省にメチル水銀説を趣旨とする報告書を提出した。すると、厚生省は研究班を解散させ、首都圏の研究者を中心とした新たな研究班（水俣病綜合調査連絡協議会）を立てた。この新研究班は熊本大の説に反論したが、自ら報告書を作成するにはいたらなかった。水銀を垂れ流ししていた企業やそれを放置した行政の責任を問う水俣病裁判がはじまると、彼ら研究者が被告側の証人に立つこともあった。一方、原告側は、医者・研究者・弁護士から市民・工場労働者までさまざまな立場の人々の協力を得て、裁判を勝利に導いた。

原田は、ある母親の語りを紹介している。彼女の夫や子どもは水俣病になったが、自身にはほとんど症状が出なかった。おなじものを食べていたにもかかわらず、である。ただ、彼女は、自分の食べた水銀が胎盤を通って胎児に入り、子どもが障碍をもって生まれたこと、それゆえこの子が自分やそのあとで生まれてくる弟妹の命の恩人であることを、確信していた。この当時、毒物が胎盤を通るという事実はまだ知られていなかった。胎盤には血液胎盤関門という一種のバリアがあり、毒物を通さない仕組みになっていると考えられていた。しかし、自然界にまったく存在しない物質や、あってもきわめてまれな物質は通過してしまうことが、数年後に科学的に明らかにされた。未知の物質にたいしては、人体という自然は無力なのである。

この子宮への環境汚染の影響という点は、堕胎つまりは命の選別の可否という重い事実を突き付ける。1965年に新潟県阿賀野川流域で発生した

第二水俣病では、胎児性水俣病を起こさないために避妊や中絶をするよう、県から指導がなされた。一方、1968年のカネミ油症事件——油症の母親から胎児性油症の子どもが生まれた——の際には、北九州や筑豊地区では中絶がおおかったが、長崎の五島列島の玉之浦町では、クリスチャンがおおかったため、中絶をせず、おおくの胎児性油症の子どもが生まれた。どちらがより正しいという一般的な判断はできない。どちらの選択にも苦渋がある。ひとついえるのは、産む母親や生まれる子どもが悪いわけでは決してない、という点である。だからこそ、こうした公害問題の原因をつくった企業と適切な管理を怠った行政の責任は、あまりにも重い。
　水俣病は、リスクが顕在化したときの対処・判断のあり方、企業や国の背信やそれらと専門家との癒着を社会がいかにチェックするか、専門家と一般の人々とがいかにたがいに協力して被害者を救済するか、など、さまざまな問題を投げかけている。原田は、現場の人々に寄り添いつつそうした問題の総体を主題化する学問を「水俣学」と呼ぶ。

人間が人間を研究する
　ギデンズは、自然科学が「主体－客体」の関係にあるのにたいして、社会学——人類文化学と拡大解釈してかまわない——は「主体－主体」の関係にあるという。たとえば土壌学や植物学（第3章）あるいは鳥の歌の研究（第5章）のような自然科学では、研究する側の人間と研究される側の土壌・微生物・動植物との間で、主体と客体の関係が反転することがない。しかし、人間に関する科学では、研究する側とされる側とは基本的に対等な主体同士である。前者の研究では、実験室でのデータ収集に典型的なように、調査研究という行為が研究対象のあり方に影響を及ぼさないように配慮し、それゆえ科学的で客観的なデータとして調査研究の成果を扱うことが可能になると前提されている。一方、後者の、とくに生身の人間を相手とする研究では、実験室のように環境から研究対象を遮断することはまず不可能であり、調査研究という行為がデータに何らかの影響を及ぼす可能性を無視することはできない。たとえば、自分が研究されているという

ことを自覚した被調査者は、それによって通常とは違う行動や反応をする可能性がある。そもそも調査の許可や了解を取る時点で、被調査者の緊張や気構えを招き、それがデータに影響することはありうる。また、調査の後に、研究結果を公表したことが、研究対象の人・文化・社会のあり方に影響することもありうる。このように、人間が人間を研究する場合には、非常に複雑な影響関係つまり再帰的プロセスが介在する。ギデンズは、それゆえ、人間・文化・社会の研究は、単純に客観的な研究ではありえない、とする。

　付言すれば、社会学でいう「予言の自己成就」も、こうした主体－主体関係の上に社会が成り立っていることを示している。これは、将来を予測するという行為それ自体が、その後の出来事の展開に影響を及ぼし、当の予測の実現をもたらしうる、とするものである。自然現象の次元では、たとえば彗星が近づいてくるだろうという予言は、彗星の動き自体に影響を及ぼさない。しかし、社会現象の次元では、たとえばある銀行が倒産するかもしれないという噂が流れると、預金者が当該銀行に押し寄せて現金などを引き出したり取引先が取引を控えたりすることにより、実際に銀行が倒産することがありうる。人間に関わるある予言は、先に述べた複雑な再帰的プロセスの中にあるのである。

　このように、人間やその文化の研究は、動物や植物を研究対象にするのとは異なる。研究対象である人間は心と知性をもち、反省し変化を導入する。したがって、物を研究するようなつもりで人間を研究することは、どこか間違っている。デュルケムは、社会をモノのように扱うことで、科学的な社会の研究が成り立つとした。たしかに科学的に厳密な手続きを踏むことは重要である。しかし、人間をモノとして扱うことだけでは不十分であろう。研究対象が研究主体とおなじ人間であり、研究主体の人となりやその考えを理解し、場合によってはそれに共感したり反発・批判したりすることがあるという、考えてみれば当たり前のことを、しっかりと認識しておく必要がある。

　人間が人間を研究する上では、さまざまな困難がつきまとう。たとえ

ば、次のようなケースがある。あるマイノリティの集団は、自分たちが先住民であって、土地にたいする優先的な権利があると主張し、国にたいしてこうした権利を認めるように働きかけている。そして、自分たちの主張を裏づけるような研究を行う研究者には調査許可を与えるが、自分たちの主張に反する研究を行う——たとえば、彼らはずっと以前からこの土地に居住していたと主張するが、考古学のデータや周辺地域の歴史資料からは、200年前までしかさかのぼれないと論じる——研究者には調査許可を認めないのである。人間と文化に関する調査では、研究される側の人々への倫理的な配慮が不可欠であり、彼らの人としての尊厳を軽視するようなことは決して許されない。もちろん、だからといって彼らの主張に唯々諾々としたがえばよい、というわけでもない。大切なのは、研究対象が自らとおなじ対等な主体であることを肝に銘じることである。

　また、それゆえ、水俣学のところで触れたように、研究する側と研究される側とはおなじ人間としてたがいに謙虚に支え合い教え合うべきである。たとえば、1986年のチェルノブイリ原子力発電所の事故では、数百万人が被曝し、数万人が死に追いやられたと推計されている。この事故について、ある研究者は、科学者と住民との対話という観点から次のような指摘をしている。アメリカでは、原子力発電所の事故の可能性をめぐって公共の場で議論がなされ、専門家からみれば違和感を覚えるほどの安全装置と非常用装置を何重にも施した設備となる。しかし、旧ソ連では、国民がこうした科学技術について知識を得たり議論に参加したりすることがなく、専門家からみて妥当な安全策がなされていれば十分という状況であった。過剰な対策には多大なコストがかかる。また、科学者がいかに合理的な説明をしても、一般の人々には不安感が残ることもある。しかし、やはり住民の普通の人々としての感覚や彼らのコンセンサスは重要である、と。

　そして、2011年の福島第一原子力発電所の事故は、アメリカとそう変わらない安全対策をした上で結果的に生じた、チェルノブイリに匹敵する事故であった。

主要文献

東　賢太朗・市野澤　潤平・木村　周平・飯田　卓（編）
　　2014　『リスクの人類学――不確実な世界を生きる』、世界思想社。
ベック，ウルリッヒ；アンソニー・ギデンズ＆スコット・ラッシュ
　　1997　『再帰的近代化――近現代における政治、伝統、美的原理』、松尾精文・小幡正敏・叶堂隆三訳、而立書房。
ダン，ロブ
　　2017　『世界からバナナがなくなるまえに――食糧危機に立ち向かう科学者たち』、高橋洋訳、青土社。
ギデンズ，アンソニー
　　1993　『近代とはいかなる時代か？』、松尾精文・小幡正敏訳、而立書房。
　　2009　『社会学　第五版』、松尾精文他訳、而立書房。
原田　正純
　　1972　『水俣病』、岩波書店。
　　2005　「現場からの学問の捉え直し――なぜ、いま水俣学か」、新崎盛暉・比嘉政夫・家中茂（編）『地域の自立　シマの力（上）』、pp. 32-51、コモンズ。
保城　広至
　　2015　『歴史から理論を創造する方法――社会科学と歴史学を統合する』、勁草書房。
ルーマン，ニクラス
　　2020（1984）『社会システム――或る普遍的理論の要綱（上）（下）』、馬場靖雄訳、勁草書房。
正村　俊之
　　2017　「予言の自己成就――現実と虚構のはざま」、友枝敏雄・竹沢尚一郎・正村俊之・坂本佳鶴惠『社会学のエッセンス――世の中のしくみを見ぬく』新版補訂版、pp. 67-80、有斐閣。
三上　剛史
　　2010　『社会の思考――リスクと監視と個人化』、学文社。
　　2013　『社会学的ディアボリズム――リスク社会の個人』、学文社。
美馬　達哉
　　2012　『リスク化される身体――現代医学と統治のテクノロジー』、青土社。
小熊　英二
　　2019　『日本社会のしくみ――雇用・教育・福祉の歴史社会学』、講談社。
橘木　俊詔
　　2021　『日本の構造――50の統計データで読む国のかたち』、講談社。
吉田　竹也
　　2020　「合理化しリスク化する現代社会」『地上の楽園の観光と宗教の合理化――バリそして沖縄の100年の歴史を振り返る』、pp. 93-116、樹林舎。

第13章
戦後日本の原子力／核

東京電力福島第一原子力発電所：左から1号機、2号機、3号機、4号機（平成23年3月29日）

　前章では、現代社会の複雑性と高リスク性に関わる諸点に触れた。この章では、リスクの顕在化をめぐって、福島第一原子力発電所の事故についてあらためて振り返るとともに、そこから日本の原発の文化・社会的背景に議論を展開しようとする。

福島原発事故

　まずは、事故の概要をまとめておこう。

　2011年3月11日、東日本の太平洋沖で群発地震が発生した。とくに14時46分に発生した、牡鹿半島東南東沖130キロメートルの海底約24キロメートルを震源とする地震は、マグニチュード9.0と、日本の観測史上最大規模の大地震であった。これにより、東北地方から北関東にかけて、場所によっては10メートル超、最大40メートルの大津波が各地を襲った。地震と津波による死者・行方不明者・関連死者は、10年後の2021年3月時点で2万2,000人をこえた。遺体のない死を受け入れざるをえない遺族もおおかった。

※写真の出典：東京電力ホールディングス

福島県浜通りにある東京電力福島第一原子力発電所は、この地震後の14メートル近い津波により、1～4号機の電源を喪失した。これにより、原子炉が冷却できなくなった。福島第一原子力発電所は6機あり、事故当時1～3号機は運転中で、その後冷却できずに炉心溶融がおこった。4～6号機の炉心は空であったが、4号機では建屋が水素爆発し、使用済燃料プールも破損した。5・6号機はやや離れた位置にあり、津波も低く、非常用ディーゼル発電が機能し、核燃料の冷却は維持された。1～3号機からは大量の放射性物質が外部に漏れ出し、処理できなくなった汚染水の一部が海に放出された。とくに2号機では3月15日に東京の大半や横浜の一部を含む半径250キロメートル範囲の避難を必要とする大爆発の危険があったが、いくつかの偶然や意図せざる結果が重なって、首都壊滅にはいたらなかった。損傷した原子炉は計4機であり、1機にとどまったチェルノブイリ原発事故とおなじレベル7の事故と評価されたが、福島の方は複合的な原発事故であり、対応もより複雑なものとなった。事故の詳細については、2021年に出版されたいくつかの著書が参考になる。東京電力の不誠実な事故前・事故後の対応・隠蔽、国の不十分な規制・監督・事故対応、御用学者の存在など、第12章の水俣病とおなじ構図があったことが、その後の取材や裁判を通して明らかになってきた。

　いくつか触れておきたい点がある。第1に、福島第一原発から26キロメートル北にある東北電力原町火力発電所は、福島第一原発よりもおおきな地震の揺れとより高い津波に襲われ、より破壊されたが、発電所の外に被害をもたらさなかった。火力発電所と原子力発電所との間には、配慮すべき安全対策に格段に違いがあるということになる。第2に、事故を調査したIAEA（国際原子力機関）の調査団は想定外の津波による非常用電源の喪失が原因であると結論づけたが、いまだ十分な現場検証が行われていないため、正確な原因の究明は今後の課題のひとつとなっている。想定の範囲内であった津波と地震の揺れ（震度6強）によって配管など機器が損傷した可能性は高い。第3に、核燃料の残骸を水没させ冷却し、原子炉の圧力容器や格納容器の破損個所を塞げば、事故はとりあえず収束となる

が、現状の作業はその途中である。冷却はされているが、汚染水はなお流出していると考えられる。廃炉に向けての具体的計画もまだ固まっていない。第4に、事故の収束と損害賠償には、数十年で数十兆円が見込まれ、除染や表土の回収・処分等をも含めれば数百兆円かかる可能性がある。事故当時の東京電力の資産は約10兆円であったので、会社を清算し資産売却しても足りず、銀行などが債権放棄したとしても、最終的には国が肩代わりして返済するしかない。したがって国民負担は巨額なものになる。第5に、原発事故がもたらしたさまざまな出来事がある。東電や政府の対応、関東地方を中心とした事故後しばらくの節電生活、食品その他にたいする人々の不安、福島の物や人にたいする差別的な対応や過剰な反応、避難をつづける住民（2021年3月時点で4万人超、うち福島県民3万5,000人）の生活、社会（共同体、行政体）の再建、住民の被曝被害、被曝しながら劣悪な状況で原発での作業に携わる人々――以前から、定期検査の原発を渡り歩く「原発ジプシー」と呼ばれる人々がいた――など、挙げていけばきりがない。以下では、2つのポイントに絞って議論を進めたい。ひとつは、原発を今後どうすべきかであり、もうひとつは、なぜ唯一の原爆被投下国である日本で原発がこれほどおおいのか、である。

原発の今後

　まず、今後の原発のあり方についてである。私は、地震国である日本における原発が抱えるリスクの重大さに鑑みて、また風・水・地熱・太陽光などの再生可能エネルギーの潜在力に照らして、日本は速やかに脱原発社会となるべきであると考える。ただし、直ちに脱原発を果たすことは難しいであろう。そこで、できるだけ早くまず全面廃止の方針を明示し、工程表をつくって、古いものや危険な場所にある原発の廃炉を進め、他方で代替エネルギーの技術開発を進めるべきである、と思っている。重要なのは、現状を基点にした「フォアキャスト」方式でなく、将来のあるべき状況を基点にさかのぼって考える「バックキャスト」方式の取り組みである。これは、環境問題とも絡みあっている。たとえば、将来の海面上昇を念頭に

おき、廃炉前の原発の津波対策を早めに更新しておかなければならないはずである。

　この種の意見は、別段めずらしいものではないだろう。一時期の世論調査では、7割が原発の廃止（即時または徐々に）を望んでもいた。しかし、すくなくとも現在の政府は異なる見解に立っている。国は、エネルギー政策基本法にもとづき、エネルギー基本計画を策定する。事故後の2012年には、原発増設を掲げていた既存の基本計画を全面的に見直し、長期的には原発を廃止する方針が盛り込まれる可能性があったが、経済界の反対などもあって足踏みし、2年遅れの2014年に出た第4次基本計画では、原発はベースロード電源として重要なものであり継続すると位置づけられた。2021年の第6次基本計画でも、こうした位置づけは基本的に変わっていない。一時期日本のすべての原発は稼働を停止していたが、その後稼働を再開したものもあれば、廃炉が決まった（ただしその具体的工程は未定）ものもある。

　原発の廃止／継続どちらにも、問題や課題はある。第1に、日本が脱原発したとしても、中国など近隣国で稼働中の――そしていま建設中で今後稼動する――原発で深刻な事故が起きる可能性や、原発がテロの標的になる可能性はあり、日本が原発事故の恐怖やリスクから完全に逃れることはできない。ただ、できる範囲で危機回避の最善の策を講じるという点では、自国の原発をまずは廃止し、それを国際的な流れにもっていくべきではないか、と考える。第2に、原発の停止による電力不足については、両論がある。温室効果ガスの排出が相対的にすくない天然ガス火力の利用率を上げ、再生可能エネルギーの利用率をもっと上げ、電力市場を自由化し、無駄な電気の使用を押さえ、節電をしていけば、十分やりくり可能という楽観的な議論と、それでは足りないという悲観論（ゆえに原発は必要である）とを突き合わせ、一部実験的な試みをしながら、検討していく必要がある。第3に、脱原発が経済の停滞や雇用の喪失をもたらすのではないか、という問題がある。原発に依存した地域とその時代に絞った局所的な視点に立てば、たしかにそうした問題はある。しかし、原発交付金の

ように、原発に付随する経済的メリットは電力会社や行政から、つまりは電気料金や税金から出ており、全国的・全体的にみれば差し引きゼロといえる。再生可能エネルギーへのシフトが別の雇用機会や経済効果をもたらす可能性もある。第4に、原子力がクリーンエネルギーかどうかである。事故前は、原発は環境への負荷がすくないと宣伝されていた。発電時にCO_2を出さないからである。しかし、事故がなくても放射能廃棄物を出す以上、決して環境にやさしいとはいえない。フィンランドは、2020年代半ばの稼働を目指して世界初の高レベル放射性廃棄物の最終処分埋立て施設をつくっている。バーゼル条約では有害廃棄物の国外移転に厳しい制約が課せられており、日本ではすでにある廃棄物の処理すらめどが立っていない。それが将来累積的に増えていくことを考えれば、原発はやはり廃止すべきであろう。第5に、ウランも限りある資源である。石炭や石油よりも埋蔵量がすくなく、いつか価格は高騰し、枯渇する。第6に、原発廃止となった場合の費用の問題がある。廃炉にかかる膨大な費用をいかに予算化し、支払っていくのか。原発は、数十年稼働させる前提で収益を計算し建設されている。ただし、その利益やコストの計算は、将来の廃棄物処理、事故があった場合の莫大な支払い、人々の精神的な負債をいわば棚上げして計算されたものである。そもそも、将来の廃炉を前提に設計・建設されていなかったものもあるようである。原発は、建設費用は高いが燃料コストは安く、ゆえに長く稼働した方が経済的な効果は高いとされていた。しかし、それは原発の安全性を高く見積もった計算にもとづく。こうした過去の試算の甘さや問題点を明確にする作業も必要である。

　原子炉の廃炉には一定の時間がかかる。原子炉は、水で冷却することで停止状態を保つことはできるが、原子炉内の核反応をストップさせ、原子炉を完全停止とするには数年かかる。その後、廃炉に向けた次のプロセスに移行できるのである。福島原発の場合、1号機・3号機では炉心溶融（メルトダウン）ばかりでなく、格納容器の外に燃料が漏れ出す溶融貫通（メルトスルー）が起こった可能性が高く、2号機を含めてこの溶解し漏れ出した燃料・建造物の固まり（燃料デブリと呼ばれる）を取り出すめどがま

だ立っていない。それゆえ、依然として放射性物質も放出されつづけており、今後も注意が必要である。また、原発稼働によって発生する高レベル放射性廃棄物は、10万年は生物の生存圏から隔離されなくてはならないとされる。10万年前は、現生人類の出現前の段階である（第4章）。したがって、10万年後にいまの人類がいるかどうかはわからない。われわれの言語や文字と情報システムで記している、高レベル放射性廃棄物の埋めた場所やその危険性なども、その時代には伝わらない可能性がある。人類史の観点からも、原発は責任をもてない一種のモンスター的存在であり、将来に途方もないリスクを残すべきではない、と私は考える。

　しかし、実は、東日本大震災直後の世論調査では、原発廃止という意見はかならずしも強くなかった。事故から約1カ月後——原発の周囲20キロメートルの住民が避難し、レベル7の事故であることが原子力安全・保安院によって宣言され、人々の放射能にたいする恐怖が高かった——に、マスコミ各社は全国規模の意識調査を行った。たとえば、4月16・17日に行われた朝日新聞の調査では、原発を今後増やす5％、現状程度51％、減らす30％、やめる11％であった。なお、2007年に行われた同紙の類似の調査では、今後増やす13％、現状程度53％、減らす21％、やめる7％であり、数字はそれほど変わっていない。つまり、史上最悪といってよい原発事故の直後において、人々の原発への不信は強くはなかったのである。その後、菅直人首相（当時）が浜岡原発の稼働停止を要請した5月ころ以降は、原発を減らすまたは廃止するという意見が過半数をこえるようになった。しかし、ドイツやスイスが国として原発廃止を宣言したり、イタリア政府が原発再開の可否を国民投票に付したり（結果、否となった）する中で、事故のあった日本社会では脱原発をもとめる強く広範な運動は展開されなかったといえる。

column 11　原発事故後の原発依存状態というアイロニー

　日本政府は、原発事故を真摯に反省しつつ、安定したエネルギー供給源の必要性から原発を推進する方針である。その背景には、産業界からの要請（日本には原発をつくり動かす技術を売る大企業が複数ある）に加え、ますます重視される環境政策があることは間違いない。再生可能エネルギーの比重を上げていきたいが、その見通しはなお不透明なところがある。となると、いけるところまで原発にがんばってもらうしかない、というわけである（異なる原発政策の国々で構成される EU の基本方針も、この種の現実主義である）。

　福島原発事故以前、政府は、原発に依存しつつ石炭火力発電を抑制し、CO_2 排出削減を進める方針であった。しかし、事故後は各地の原発の稼働に慎重にならざるをえず、石炭火力発電の依存度は高まった。いったん CO_2 の排出削減は後回しにせざるをえなかったのである。

　2020 年 10 月に、政府は 2050 年までのカーボンニュートラルの実現(温室効果ガスの排出量と吸収量を差し引きゼロとする)を宣言した。しかし、それは他国での温室効果ガス排出削減・吸収分を購入したり、他国で実施する削減・吸収活動を合算したりすることを念頭においたものであって、日本社会の中で差し引きゼロにするという意味ではない。同年開催の国連気候変動枠組条約第 26 回締約国会議（COP26）では、石炭火力発電廃止の方向性が示されたが、日本政府は、石炭火力発電で出る CO_2 の地中貯留や排出抑制の新技術に取り組む一方、石炭火力の将来的廃止を決断できないでいる。ただし、これを含むエネルギー政策の転換は待ったなしであろう。原発依存からの脱却も、真の意味での脱炭素社会の実現も、将来世代のためにいま取り組みを開始すべき課題である、と私は考える。

　福島では、人々だけでなく、市町村役場自体が県外を含むいくつかの場所に移転したままというところもある。深刻な原発事故の負の影響は、人ひとりの人生よりも長く、現生人類が存続する時代を超えてつづくものともなりうる。

原子力という理想

　ここから、なぜ日本で原発がこれほどおおいのかという、もうひとつの問いについて考えてみたい。政治的・経済的・科学技術的等、さまざまな背景が考えられるが、世論や価値観という観点からすれば、原発にたいする忌避感があまり強くなかったという点があったからであろう。戦後の日本における原子力をめぐる認識は、事故直後にいたるまであまり変わらなかったと考えられる。では、その背景には何があるのだろうか？

　ひとつの回答は、戦後の日本人は原子力にたいするある種の憧れをもっていたからではないか、というものである。広島・長崎の原爆投下を経験した日本人は、核兵器には反対であったが、原子力の平和利用には、科学技術の進展を願う立場から肯定的であった。原子力も核も、本来おなじ語（nuclear）であるが、日本では訳し分けられてきたのである。まったく想像できない読者もいるかもしれない――とくに、第9章で自国の核兵器開発に賛同する価値観を「異文化」と感じ、本章で確認した福島原発事故に心を痛めている方にとっては――が、これが戦後の日本の原子力／核にたいする態度の原点である。それを示すいくつかの事実を確認しておきたい。

　1954年3月に、第五福竜丸事件が起きた。ビキニ環礁におけるアメリカの水爆実験の場所から150キロメートル離れたところで操業していたこの船の乗組員23名が被曝し、うち1名が死亡した。水爆は、原爆を起爆装置としてつかうため、大量の放射能を放出するのである。この漁船事故により、広島と長崎での原爆投下を経験していた日本の反核運動はさらに高まった。放射能への危機感から魚肉の消費が落ち込み、とくにマグロが大量に破棄されるということも起こった。

　しかし、他方で、この第五福竜丸事件の2日後に、原子力の平和利用のための予算案が国会に提出された。前年にアイゼンハワー米大統領が、国連で演説を行い、原子力の平和利用のために関連技術の機密事項を公開し、他国に提供する用意があると表明していた（なお、小出によれば、それは平和利用という名目で原子力をビジネス化し、国庫負担の軽減をはかるこ

とであった)。日本は、アメリカの技術援助によってその平和利用を具体的に進めようとしたのである。この政治レベルでの動きの中心にいたのが、のちに自民党総裁・首相も務める中曽根康弘（当時は改進党所属）であった。また、読売新聞は、原子力平和利用を推進するキャンペーンを展開したり原子力平和利用博覧会を全国で行ったりし、世論の喚起にひと役買った。その読売新聞および日本テレビの社長を務めた正力松太郎は、1955年に衆議院選挙に出馬して当選し、自民党鳩山派の政治家となり、翌年に原子力委員会の初代委員長に就任した。原子力発電所建設計画を推進した正力は、日本の「原子力の父」とも呼ばれた。

　日本で最初の国産テレビアニメーションシリーズとなった「鉄腕アトム」は、戦後日本の原子力肯定的な価値観を象徴するものであった。原作者の手塚治虫は、1951年4月にはじめてアトムという名をもちいた漫画を描き、その後あらためてキャラクターを確定していった。1963年からテレビ放映がはじまったアニメに登場する10万馬力のアトムは、体内に小型の原子炉をもち、原子力エネルギーで動くロボットのヒーローである。ちなみに、アトムの妹はウラン、兄はコバルトである。一方、特撮の方では、円谷プロダクションを代表する怪獣であるゴジラが核爆弾に結びつく。1954年11月に公開された東宝映画「ゴジラ」のサブタイトルは「水爆大怪獣映画」である。身長50メートルのゴジラは、海中に住む恐竜の生き残りであったが、度重なる水爆実験により放射能を浴び、住処を追い出されて日本に現れた、という設定である。この水爆実験は第五福竜丸事件を暗示させるものとなっている。ゴジラは、人間のつくった核兵器によって出現し、広島・長崎・第五福竜丸の被曝を経験した日本を破壊し、最後に原水爆に匹敵する大量破壊兵器となる化学物質をつかった兵器（オキシジェン・デストロイヤー）により、泡となって消える。その兵器の資料はすべて焼却され、それを発明した科学者はゴジラの死を確認しつつ自ら命を絶つことで、この次世代兵器の秘密を守った。このゴジラ映画第1作は、観客動員数961万人を記録した。

　社会学者の好井裕明によれば、1960年代の日本では、原水爆はファン

タジー化されて消費された。子どもたちは、意識はしていなかったであろうが、フィクションの中にある原子力エネルギーの可能性にプラス面や明るい未来を見ていた。その後の日本のアニメでも、意識されないところで原水爆のイメージが頻繁につかわれている。戦いや爆発の際のキノコ雲はそのひとつである。たとえば、ヤッターマン（1970年代、2000年代）、ジブリ映画のナウシカやラピュタ（1980年代）、ナルトやプリキュア（2000年代）などに、そうした大爆発やキノコ雲は登場する。

　第五福竜丸事件後の1950年代後半、大人にとっても、原子力とその原料であるウランは魅力的なものであった。ウラン爺とも呼ばれた東善作は、日本のウラン鉱山探しの第一人者であった。彼は民間人であったが、最新のガイガーカウンターをアメリカから取り寄せて全国をまわり、人形峠のウラン採掘権を獲得し、1957年に政府公社と契約を結ぶことに成功した。ウラン鉱山探しが流行し、彼のようになることを夢見る者はおおくいた。公社がウランを掘り、東は黙っているだけで収入を得ていたのである。もっとも、それは数年のみで、最終的に事業は赤字となったが。東は、原子力や放射能の魅力を、マスコミを通して世間にアピールしてもいた。たとえば、ウラン鉱の入った風呂につかり、ウラン鉱入りの肥料で育てた野菜を常食した。もちろん、それは被曝を意味する。ただ、当時はアメリカでもラジウムや放射能は健康によいという考え方が広まっていた。人形峠では、「ウラン饅頭」やウラン粉末入りの陶器である「ウラン焼き」などの土産も売られていた。岐阜県中津川市苗木のウラン鉱採掘権を所有した日々良子は、「放射能酒」という酒、ラジウム入り護符、温泉用ラジウム鉱砂を販売した。彼女は、ラジウム砂入りの風呂に入って結核が治ったという経験をもっていた（安易な因果関係を設定できないのは、当然である）。いまも温泉にラジウム云々という看板が掲げられていることがあるが、これはこの時代の流行の名残である。彼らの主張の背景には、少量（低線量）の放射能は人体によいという「ホルミシス効果」という仮説があった――むろん、それにたいする科学的な反論はある――。

　1950〜60年代、原子力は富や健康をもたらすものという価値観があ

った。社会学者の大澤真幸によれば、この時代の日本人は、核爆弾を落とされて戦争に負けたという過去があるにもかかわらず原子力に憧れたのではなく、そうした過去をもっているからこそ、原子力の平和利用に魅了されたのである。あるいは、日本は、アメリカの圧倒的な科学技術の優越性により、第二次世界大戦で負けた。だからこそ、その科学技術、中でもその象徴的中心である原子力を欲したのである。しかし、当初高まっていた原子力への期待やその理想化は、1970年代に入ると日本でも欧米でも薄れていく。原発に関わった科学者・技術者による原発の危険性の内部告発[※10]、原発利用の技術的な限界、スリーマイル島の事故（1979年）、反対運動の盛り上がりの中で、アメリカでは1970年代半ばから原発の新規建設・稼動がなくなる。しかし、日本では、逆にこれ以降に原発建設のラッシュを迎える。政府とくに通商産業省（現在の経済産業省）・電力会社が、科学者会議とともに、国際社会の状況や理解の変化とは関係なく、計画通りに原発政策を推進し、毎年1.5～2基のペースで安定的に原発を増やしていったのである。いくつかの自治体が積極的に原発を誘致したこと、原発を推進する国の政策をおおくの人々が疑わなかったこともあるが、その背景には、原子力の平和利用を肯定する——そして、それは核兵器を否定することと不即不離であった——戦後日本人の心性があったといえる。

おわりに

最後に、触れておきたいことがある。原発の技術、とくに核燃料サイクルの技術は、原爆製造に転用可能である。つまり、原発と原爆、核の平和利用と軍事利用は表裏一体の関係にある。政治家にとって、それは公然の

※10　2011年に事故を起こした福島第一原発の原子炉は、アメリカのジェネラル・エレクトリック社が1965年に考案したものである。アメリカではまだ安全性が十分確認されておらず建設されてもいない2年後の1967年に、福島ではこの原子炉の建設がはじまった。そして、1976年には、アメリカでこの原子炉の設計にかかわった技術者がその危険性を指摘し、ただちに廃炉にすべきだと主張し、議会では公聴会も開かれた。しかし、当時の日本ではその危機感が共有されなかった。

秘密であったようである。被爆国日本の政府は、憲法9条や非核三原則があったからこそ、それを盾に、いわば安心して原子力平和利用を邁進させ、アメリカが途中でやめた原発推進を継続させた。そして、世論・マスコミ・科学者もこれを根本から批判するにはいたらなかった。

　広島・長崎で行われる毎年の慰霊式において、総理大臣は核兵器のない世界の実現に向けた努力を進めたいと述べる。しかし、政府は、2021年1月に発効した核兵器禁止条約を批准しない方針を採っている。アメリカの核の傘下にあり、核兵器不拡散条約（5つの核保有国以外の国の核保有を認めない）の立場に立つからだが、そうした立場を被曝者と遺族そして国民に十分説明し理解を得てきたとはいえない。核兵器をめぐる世界の世論は廃絶の方向に徐々に変化しつつあるように思われるが（第9章）、日本政府の原子力／核をめぐる認識は「戦後」の枠組みの中にとどまりつづけているかのようである。だが、福島原発事故で何があったかを直視しなければならないと、私は思う。

主要文献

樋口　英明
　　2021　『私が原発を止めた理由』、旬報社。
金菱　清
　　2014　『震災メメントモリ——第二の津波に抗して』、新曜社。
川口　隆行（編）
　　2017　『〈原爆〉を読む文化事典』、青弓社。
川崎　哲
　　2018a　『新版　核兵器を禁止する——条約が世界を変える』、岩波書店。
　　2018b　『核兵器はなくせる』、岩波書店。
小出　裕章
　　2021　『原発事故は終わっていない』、毎日新聞出版。
国立歴史民俗博物館（編）
　　2012　『被災地の博物館に聞く——東日本大震災と歴史・文化資料』、吉川弘文館。
NHKメルトダウン取材班
　　2021　『福島第一原発事故の「真実」』、講談社。

日本原水爆被害者団体協議会（編）
 2021 『被爆者からあなたに——いま伝えたいこと』、岩波書店。
大澤　真幸
 2012 『夢よりも深い覚醒へ——3.11後の哲学』、岩波書店。
大谷　尚子・白石　草・吉田　由布子
 2017 『3.11後の子どもと健康——保健室と地域に何ができるか』、岩波書店。
小沢　節子
 2011 『第五福竜丸から「3.11」後へ——被爆者　大石又七の旅路』、岩波書店。
リフキン，ジェレミー
 2015 「岐路に立つ日本」『限界費用ゼロ社会——〈モノのインターネット〉と共有型経済の台頭』、pp. 473-487、柴田裕之訳、NHK出版。
添田　孝史
 2021 『東電原発事故10年で明らかになったこと』、平凡社。
武田　徹
 2011 『私たちはこうして「原発大国」を選んだ——増補版「核」論』、中央公論社。
竹沢　尚一郎
 2022 『原発事故避難者はどう生きてきたか——被傷性の人類学』、東信堂。
田中　重好・船橋　晴俊・正村　俊之（編）
 2013 『東日本大震災と社会学——大災害を生み出した社会』、ミネルヴァ書房。
好井　裕明
 2006 「ファンタジー化する原水爆そして原子力イメージ——ゴジラ映画・特撮映画というテクスト」、桜井厚（編）『戦後世相の経験史』、pp. 18-43、せりか書房。
 2007 『ゴジラ・モスラ・原水爆——特撮映画の社会学』、せりか書房。
吉岡　斉
 2011 『新版　原子力の社会史——その日本的展開』、朝日新聞出版。
吉岡　斉・寿楽　浩太・宮台　真司・杉田　敦
 2015 『原発　決めるのは誰か』、岩波書店。

経済産業省資源エネルギー庁
 2021 「エネルギー基本計画　令和3年10月」
 （https://www.enecho.meti.go.jp/category/others/basic_plan/pdf/20211022_01.pdf）

第 14 章
環境と社会は持続可能か

　2018 年、15 歳の環境活動家グレタ・トゥーンベリは、いますぐ気候変動に対処すべきであると議会や社会に訴えるための学校ストライキをはじめた。ここから、「未来のための金曜日」(Fridays For Future) という若者の運動がはじまった。この年の国連気候変動枠組条約 (UNFCCC) の第 24 回締約国会議 (COP24) で彼女が演説して以降、この金曜の学校ストライキは徐々に世界に拡大していった。気候変動対処の国際的枠組みに先行き不透明感が漂う中、環境運動は一部でラディカル化の様相を呈しつつある。2015 年の国連サミットにおいて採択された SDGs (Sustainable Development Goals) の 17 目標の中にも、気候変動とその影響を軽減するための緊急対策を講じるという点は織り込まれているが、そんな指針だけでうまくいくはずがないというのが、グレタと彼女に共感する人々の主張だと考えてよい。彼女たちからすれば、持続可能性を楽観視する時代はすでに終わっているのである。

　最後のまとまったトピックとして、この章では、未来にも関わる環境と

社会の持続可能性について取り上げたい。この課題が、人文社会科学と自然科学を総合しつつ、科学と反科学のバランスを取りながら、現代社会の特徴を念頭におき、考えるべきものであることは明らかであろう。

外部と内部の創出環境

　まず、「環境」という概念についてひとつ確認しておきたい点がある。一般に「環境」は自然環境を指すと考えられている。しかし、自然環境と文化・社会環境とは実は密接に絡み合っている。マルクスは、それを人間と自然との弁証法として捉えた（第4章）。一方、ギデンズは、この2つの環境の弁証法的関係を「創出環境」(created environment)という概念で捉えた。今日の人間が向かい合っている自然環境は、人間が獲得した知識や技術を注入してつくり出した、文化化・社会化されたものにほかならない、というのである。この自然への介入は、外部環境のみならず、われわれの身体という内部環境にも及んでいる。iPS細胞（第6章）、生殖医療（第11章）、あるいは臓器移植などの医療の進展は、この身体の創出環境化をいっそう推し進めるものとなる。自然への介入それ自体は、人間が動物や植物を馴化するようになってから本格化したが（第4章）、科学技術の発達とともに、現代ではそうした自然への介入はきわめて広範かつ深淵なところに及び、しかも強度を増している。ベック夫妻は、かつてないこうした人間の環境への介入を指して「自然の終焉」と呼んだ。

　人間の介在の度合いが一定の水準をこえてしまった現在、自然環境にたいしてこれ以上何の働きかけもしないことが環境の均衡状態の回復につながるとはもはやいえない、むしろ回復は人間の何らかの働きかけにより人工的に維持されるよりほかない、という認識が台頭している。UNFCCC締約国会議による地球温暖化対策の検討も、そうした論理にもとづくものである。それゆえ、環境と社会の持続可能性も、無垢の自然への単純な回帰を目指したものではなく、いまある社会の状態の延長線上においてより積極的な介入を行ってつくり出していくべきものと考えざるをえないであろう。

環境とその変化への対応

　第4章で、人類が地球の多様な自然環境に適応し拡散していったということに触れた。それぞれの人間集団は、それぞれの環境に生きる中で固有の文化をつくり上げてきた。このようにいうと、伝統文化は固定したもののように思われるかもしれない。しかし、そこには歴史があり、この数千年の中でも地球環境は変化してきた。そのひとつの例として、第9章で触れたエスキモー／イヌイトの環境対応を取り上げてみたい。

　エスキモー／イヌイトの祖先は、約4,000年前にアジア大陸から新大陸のツンドラ地帯へと進出したと考えられる。彼らは文字をもたなかったが、考古学や環境史などさまざまな研究成果の総体からは、彼らがその後の気候変動にうまく順応してきた様子がうかがえる。なお、順応（adjustment）は短期的でローカルな対応を、適応（adaptation）は長期的でマクロな種としての対応を指す。エスキモー／イヌイトを先史時代と変わらない文化をもった人々とみなすのは、その点で誤った認識である。

　いまからおよそ1,000年前のヨーロッパは、中世温暖期と呼ばれるほど気温が高かった（温暖化といわれる現在とあまり変わらなかったという議論もある）。北極海の氷は夏にはかなりの部分が溶け、冬にはまた凍るという状況であった。このころ、アラスカではチューレ（Thule）文化期が訪れる。遺跡調査からは、この文化の担い手たち（エスキモー／イヌイトの祖先）が、夏の北極海を回遊していた大型のクジラ1頭から取れる数十トンもの肉を食糧源にし、またクジラの骨を住居の建材や道具にし、100人ほどの集落をつくって、カナダからグリーンランドまでの広い範囲に点在していたことがわかっている。ところが、15世紀には寒冷期に入る。温暖期にグリーンランドでヒツジ放牧や酪農をし、ヨーロッパにも進出していたノース（ヴァイキング）は、この寒冷化によってグリーンランドから姿を消す。ヨーロッパでは作物への影響が出て、これが大航海時代の幕開けを用意する。北極海でも夏に氷が溶けなくなり、クジラが北極海に入れなくなる。クジラに支えられていたチューレ文化の集住集落は、こうして維持できなくなった。そこで、彼らは、カリブーやジャコウウシ、アザラシなど

の猟と漁労を中心とした、少人数で季節移動をする分散した社会形態を取るようになった。これが、1950年代以降に各国で定住策が取られる以前の、エスキモー／イヌイトの基本的な生活様式だった。このように、エスキモー／イヌイトは気候変動に順応して社会組織と生業とを組み替えたのである。おおかれすくなかれ、いまある社会はそうした生存戦略としての順応によって生き残り、あるいは勢力を拡大させてきたと考えられる。

　エスキモー／イヌイトたちは、1990年代以降に顕著になった気候変動つまり温暖化にも直面している。温暖化の影響は、一般に低緯度よりも高緯度地方の方に顕著に表れる傾向がある（今後日本でも、沖縄よりも北海道の方に温暖化の影響がより現出すると考えられる）。北部グリーンランドでは、狩猟と漁労を生業の中心とした彼らの社会は深刻な危機に直面している。氷が沿岸部には張るが、沖合には張らないので、海氷上にいる獲物（アザラシ、セイウチ、イッカクなど）を犬ぞりで追うことができない。海が氷となる期間が短くなっており、薄い氷の上を移動することは危険なため、狩猟の期間も短くなり、満足な猟もできなくなっている。また、政策による影響もある。北部グリーンランドでは、生態環境の保護のため、猟にスノーモービルを使用することが法律で禁じられている。したがって、猟は犬ぞりでなくてはならないが、その犬の餌はアザラシやセイウチといった獲物の肉なので、犬の餌がそもそも手に入らない、ゆえに猟もできない、という悪循環が現実化している。そして、猟が衰退すれば、それに関連した伝統文化の継承も困難になる。それは、エスキモー／イヌイトだけの問題ではない。人類が数千年あるいは数万年をかけて多様な環境の中で培ってきた知識や経験の一部が失われようとしているのである。この文化の多様性の損失には、地球の生物多様性の損失と同様、計り知れない重みがある。

　一方、南部グリーンランドでは、また事情が異なる。南部のエスキモー／イヌイトのおおくは農民であり、ヒツジを放牧している。気温の上昇によって、春が早く来て冬が遅くなっているので、4〜10月にツンドラ地帯で放牧されるヒツジの餌は豊かになり、冬の間の小屋での飼育のときの飼い葉もよく育つ。ここで生産されるマトンは、グリーンランド全体の消

費をほぼまかなうまでになっている。酪農やジャガイモ生産も順調に伸びている。温暖化は、南部では農業にプラスに作用しているのである。

　グリーンランド自治政府（2009年にデンマーク政府からかなりの権限が移行した。将来の独立国家への道を模索している）は、気候変動を肯定的に捉えており、海が凍らず容易になった海運、氷河の後退で採掘・搬出が容易になった油田や希少金属などの鉱物業に力を入れている。凍った川の下を流れる水を利用した水力発電は以前からさかんであったが、こうした天然資源の開発が、農業や林業とともに、温暖化によって可能となりつつある。観光者も増えている。ただし、他方で、凍らなくなった北極海の領海権（国内水域か公海か）をめぐって、カナダ、アメリカ、デンマーク、ロシアなどの間で駆け引きが激しくなってもいる。

環境問題の現実と理想

　以上、環境への順応に関する具体例をみた後で、あらためて理論的に環境問題について考えるために、人類学者の本多と梅﨑が『人類学研究――環境問題の文化人類学』の「病気と環境」の章において挙げる例題をもとに、考えてみよう。

　周囲から隔絶した、あるちいさな島があるとする。その島では、1万人が生存できる環境支持力があるとする。つまり、長い間人口は、それ以上は増えないが、そこから減少することもない。その人口ピラミッドを描くと、男女がほぼ同数とすれば、二等辺三角形になる。たとえば、底辺が男性100人女性100人、頂点が100歳であるとする。こうした社会は、環境に十分対応しているといえるだろう。すくなくともその島の人口は長期的に維持されているのだから。さて、ここで質問である。読者はそうした環境で暮らしたいと思うだろうか？

　この人口ピラミッドでは、年齢別の死亡率と出生数が一定である。したがって50歳で人口は半減する。つまり、平均寿命は50歳である。この島の平均寿命は、日本の平均寿命と比べればもちろん、現在の世界水準と比べても低い。また、1年で200人が生まれるが、1年で200人が死ぬ

ことになる。こうしてみると、数字上は環境に順応ないし適応した社会であるとしても、われわれが生きている現実のこの社会の基準に照らした場合、かならずしも住みたいと思える社会とはいえないのではないだろうか。そもそも、われわれはこの世に生まれたひとりひとりの命を大切にする価値観をもって生きており、数字上の生死のバランスを重視しているわけではない。では、住みたい社会にするにはどうすべきであろうか。おそらく、出生数を減らしつつ、生まれた後は長生きするという、人口ピラミッドが釣鐘型になる社会へと移行させることが考えられるだろう。しかし、そうした場合、1万人は支えられなくなる可能性が高い。さらに、現実に近づけた話をすれば、実際にはこうした外部から閉ざされた社会は存在せず、自然災害や人災などによって安定状態は簡単に覆るという点もある。

また、世界の人口は増えつづけている。しかも、豊かな国・地域・階層では人口は減少か停滞し、少子化・高齢化が進み、貧しい国・地域・階層では若年層が増加していくので、人の移動がなければ、地域と世代の偏りは今後いっそういびつになっていく。1980年代以降は先進国と途上国の間の経済格差や後者における貧困者数が低下の傾向にあるという議論もあるが、どちらの社会においても富裕層と貧困層との間の格差は拡大しつつあるように思われる。今後、世界規模での人口爆発、食糧不足、水不足が予想されており、それゆえ国際協調の手立てが模索されている。

第12章でも述べたように、現代社会は、食糧の生産と流通および近代的な医療や衛生の体系を発達させることによって、かつてありえなかった「豊か」で長寿な人生を可能とするようになった。しかし、それは、地球というひとつの生態系——ただし、地球はその外部との間に光・熱・ガスそしてごみをやり取りしており、決して閉じた生態系なのではない——のキャパシティの限度や自然な回復力を越える程度にまで、これを疲弊させ資源を収奪することによる豊かさなのではないだろうか。すくなくとも、3億年前から蓄積してきた化石燃料(石炭、石油、天然ガス、シェールガスなど)を200年ほど前から食い潰しはじめた点で、この豊かさは「過去の収奪」に支えられている。とともに、原子力発電による放射性廃棄物をのちの世

代に無責任に委ねるという点で、「未来の収奪」にも支えられている（上岡や小澤によれば、「水素社会」という将来像も原子炉活用が前提なのである）。熱帯林伐採や海洋資源乱獲は強者による弱者からの「現在の収奪」ともいえる。こうした現行の社会・文化のあり方——ブラントとヴィッセンがいう「帝国型生活様式」——は、われわれにとっては「普通」で「当たり前」であっても、人類史の中においた場合、明らかに「異常」で「ありえない」ものであり、これを自文化中心主義的にではなく文化相対主義的に捉え直さなければならない。現在の「豊かさ」はいつか破綻を招くリスクを抱えた豊かさである。ただし、それ以前の、たくさん死んでたくさん生まれることで人口バランスが保たれる状況に戻ればよい、というものでもないはずである。どこかでいまの豊かさに歯止めをかけ、既存の体制を抜本的に変えていく必要がある。

　では、どういった発想の転換が必要となるであろうか。たとえば科学哲学者の広井良典は、物資の過剰な生産や消費を抑制するとともに[※11]、再分配を強化する、という政策を提案する。後者の再分配の強化とは、たとえば、①人生のスタートラインをできるだけ平等にするために、教育への政府の保障を手厚くする、②土地の相続が経済格差の持続におおきく関わるので、資産相続への課税を強化する、といったことを含む。そして、③地域における顔の見える範囲のコミュニティを再活性化し、これを地域経済の基盤としつつ、人間的な暮らしの基盤とし、国家が主役の体制から、ローカルなレベルとグローバルなレベルとにまたがるよりバランスの取れた体制へと変えていく、というのである。その場合、政策転換とともに、

───────────────────────
※11　現代社会の顕著な特徴として、科学技術の発展、管理化の進行、再帰性とリスクの高まりといった点に加え、消費社会化という点を挙げることができる。なお、物質文化の浪費を享受しているのは地球の限られた人々であり、大部分の人々は食糧・医療・他の生活物資の不足や欠乏に苦しんでいるのであって、そこに不均衡の増大という大問題が付随することを忘却すべきではない。日本や欧米では、個人が生きていく上で行う必要最小限の消費を超えた不必要な消費にあふれている。さまざまな付加価値の上乗せやイメージの付与により、新たな疑似的生活必需品を次々と生み出し消費を喚起するのが、現代の産業資本主義のメカニズムなのである。

体制化した科学（第2章）も変わる必要がある。また、ひとりひとりの考え方やライフスタイルも変わる必要がある。たとえば、質素な生活を志向する、買わなくていいものは買わない、などである。

column 12　パーフィットの「非同一性問題」

　本文では「どこかでいまの豊かさに歯止めをかけ、既存の体制を抜本的に変えていく必要がある」と述べた。私は基本的にそう思っている。ただし、これについては、哲学者のデレク・パーフィットらによる「非同一性問題」に触れておく必要がある。『正義論』の第13章・第14章の議論を参照しつつ、そのポイントを確認しておきたい。

　われわれは、将来世代のために、CO_2の排出量をできるだけ抑制しようとしている。CO_2は数十年から数百年間大気の中にとどまりつづけるので、悪影響は世代が進むにつれていっそう深刻になる。現役世代は、それゆえ将来世代に配慮する義務がある。過去世代は、気候問題やCO_2などの温室効果ガスがもたらす深刻な影響を知らなかった。しかし、われわれはそれを知っている。知っている以上、環境破壊をできるかぎり抑えて、将来世代のために備えなければならない。これは、世代間倫理あるいは世代間正義と呼ばれる。

　さて、パーフィットはここにひとつの問題を看取する。ある人々がある行為をする。たとえば、ある国の人々が大量のCO_2を放出する経済活動を継続する。現役世代の経済は潤うが、それは将来の気候崩壊を早め、環境問題を深刻化させる。この行為は、将来世代の人々に悪影響を及ぼす、あるいは危害を与えると、通常考えられるであろう。しかし、現役世代の人々が経済的に潤って社会が発展したことが、後続の世代における特定の人々の生誕につながっているのであり、当の経済政策が変われば、社会や経済や雇用のあり方も変わり、男女の出会いやその結末も変わり、環境を破壊しつつ経済発展した場合とおなじ将来世代の人々や人数は生まれないであろう。将来、その国で大型台風が甚大な被害をもたらしたとき、その被害を受ける人々は、過去の環境破壊的な経済活動によって悪影響や危害を受けたようにも思われるが、そもそも彼らは当の経済活動がなければ生まれなかった可能

性があり、この世に生を受けない場合と比べれば、彼らが過去の世代による危害を受けたと即断することはできない。未来は当の経済活動が継続した場合と変わった場合とで異なるのであって、この2つの場合の被害や福利を直接比較することはできない。これが「非同一性問題」である。

　この問題は、気候正義や世代間正義を考える上で、よく検討すべきものである。ただ、こうした論理的な問題があるからといって、何もしなくてよい、やりたいようにやればよい、というわけではないであろう。われわれは、自らの倫理にもとづいて、まっとうなことをすべきである。

サステイナビリティ学

　現行の社会や自然がそのまま存続し、いまの大量生産の産業資本主義が無限の拡大をつづけていくとは考えられない。このままいけば、砂漠の拡大、干ばつ・山火事・洪水・巨大台風・熱帯病の増加、熱帯やタイガ地帯の森林消失が生じ、社会の分断もいっそう深刻化する、と考えられる。ただし、憶測で論じるべきではなく、たとえば、一部の海産資源の乱獲や海水汚染の深刻化が地球規模でどういった影響を生むのかなど、ミクロな地域や特定の問題に関する現状把握と、グローバルな次元での領域横断的・総合的な評価とを十分つなぎ合わせ、複雑な方程式を解くような作業をして、はじめてこの問題に一定の見通しがつくようになる。こうしたさまざまな学問分野を横断するかたちで成果を総合し、地球や自然と社会の持続可能性に向けた、政策やライフスタイルの転換を伴う取り組みをはじめなくてはならない。

　サステイナビリティ学は、世界的に循環型社会の構築をはかっていくために、2050年をひとつの目途に、目標の達成をはかろうと考える。この2050年はいってみれば中間目標である。その場合、先進国と途上国をおなじ基準で考える必要はない。途上国は社会や経済の発展をはかっていくだろうから、その動向に、できる範囲で資源利用の削減（リユースやリサ

イクルもふくむ）やエネルギー使用の効率化を組み込んで、グローバルな次元でバランスを取っていくのである。2015年のCOP21で採択されたパリ協定は、このような方針を、2020年から各国が5年刻みで貢献を明示し実行していこうというものである。

　たとえば、車は必需品に相当すると位置づければ、次のように考える。いま日本には約8,000万台の車がある。これはほぼ飽和状態と考えてよい（今後の人口減少に伴って減っていくであろう）。ある試算では、ハイブリッドカーの使用するエネルギーはガソリン車（なお、日本の車はアメリカの車よりも約20％ガソリン消費量がすくない）の半分、電気自動車の使用するエネルギーはハイブリッドカーの半分で、これに技術改良で車の重さを半分以下にできれば、車を走らせるのに必要なエネルギーは、車の重量に比例するので、いまの1/8になる（ただし、人の重さを抜いた話ではある）。途上国で車はさらに増えるが、世界の車の総量が3倍になっても、全体のエネルギーの消費は約1/3になる。

　エネルギー使用がいまのまま伸びていけば、ある試算では、2050年の大気中の二酸化炭素濃度はいまの倍程度となり、地球の気温は最大5度上がるとシミュレートされる。2度くらいの上昇に抑えるためには、世界の約2割を占める再生可能な非化石エネルギーを2倍の40％に上げ、エネルギー効率を3倍にする――たとえば、エアコンはここ20年で2.5倍になった――ことが現実的な目標となる。詳細は省くが、エネルギー効率が3倍になれば、途上国のエネルギー消費が7倍になるとしても、全体では2.3倍程度に抑えられる。先進国ではほぼ飽和状態と仮定し、非化石エネルギーの増加と化石エネルギーの抑制などを合わせれば、2050年の世界のエネルギー消費量は20世紀末の水準に保たれる、とシミュレートできる。

パスカルの賭け

　ただし、サスティナビリティ学による以上のシミュレーションは、人口爆発や不測の事態が起きず、また車などの現行の消費物資を継続使用する

前提であり、楽観的すぎるように思われる。実際、パリ協定はもうすこし高い目標を設定している。

　もっとも、パリ協定も楽観的な視点にもとづくといえる。強制力や罰則を設けていないからである。1992年にリオデジャネイロで「環境と開発に関する国際連合会議」が開催され、これが1997年の京都議定書、2015年のパリ協定へとつながっていった。しかし、気候変動対策は、各国の取り組みに任されたまま現在にいたっている。他方で、1992年に北米自由貿易協定（NAFTA）が署名され1994年から発効し、1995年には世界貿易機関（WTO）が成立し、各国はWTOの枠組みの中で自由貿易協定（FTA）を結んで通商政策を展開していった。貿易協定は、違反した場合の訴訟を想定するなど厳密な規定にもとづく。前者のルールの緩さと後者の厳格さとを照らし合わせれば、各国がどちらを優先するかは明らかである、とナオミ・クラインは指摘する。気候変動問題を経済貿易と絡めて対応を強化せず、緩いままの対策を進めたことに、根本的な問題があったのである。

　小林は、論理的にも道義的にも、「パスカルの賭け」に倣った対処こそ正しい選択ではないかと述べる。パスカルは、神がいるか否かは理性では解けない問題であり、自身の幸福にしたがって判断してみよう、と提案した。もし神が存在する方に賭ける（信じる）とすると、神が存在すれば永遠の命が約束され、神が存在しなくても、神を信じない場合よりも悪くなることはない。得るときはすべてを得、失うときは何も失わないのであり、ゆえに神が存在する方に賭ける判断が賢明である。これがパスカルの賭けである。私なりに整理しよう。気候変動については、人為による気候変動がどの程度あるかは確定し難いところがある。地球は寒冷期と温暖期を繰り返してきたからである。しかし、人為起源の気候変動があると信じてこれまでの消費志向の社会・文化の枠組みを見直す方に賭けるならば、もし人為起源の気候変動が強烈である場合、温室効果ガス排出量が抑制され、人類は絶命を免れる可能性がある。人為起源の気候変動が微弱である場合でも、現在・過去・未来の「ありえない」収奪や不当な搾取がなくなれば、

いまよりも道義的にまっとうな生をみなで送ることができる。逆に、このままの仕組みが持続すれば、貧者がますます増え、富者の得るパイも減り、大多数の人類はいわば死に体となる。それは、人類絶滅に限りなく近づくことである[※12]。

おわりに

　何もしないよりは、何かをやるべきであろう。ただし、一方で、そうした努力をしたとしても、地球にふたたび氷期が訪れる可能性はきわめて高い。たとえ持続可能な植物中心の食糧生産体制が確保されたとしても、人類の子孫のおおくが死滅する時期がいつかやってくるかもしれない。長いタイムスパンで考えれば、地球という惑星にも、そこに恵みをもたらす太陽にも、いずれは終焉が訪れる。そのころ、現生人類は存在しないであろうが。こうした文系的・理系的な思考を総合して宇宙規模の「歴史」を考えようとする議論（グローバルヒストリー）もある。

　読者は、「人新世」（anthroposcene）という語を聞いたことがあるだろうか。「第四紀」の「更新世」「完新世」のような地質学の時代区分に匹敵する、ヒトの活動が地球の生態系に圧倒的な影響を与えるようになった「新たな人の時代」を示す名称として、生態学や環境史などの分野でつかわれるようになった語である。問題は、この時代をいつからとするのかである。有力視されているのは、工業化の時代以降、あるいは、核エネルギーの利用開始以降、とする考え方である。このように、われわれはかつてない地球の歴史の時代に生きている。それが現代なのである。

※12　第13章の原発問題も同様に考えることができるのではないだろうか。もし深刻な原発事故が今後も発生する可能性があると考えるなら、いまから早急に対処の枠組みをつくって実行に移すべきである。仮に事故が発生しなくても、10万年後までの未来の収奪を避け、現在知られるリスクの低減に与ることになり、人類史の観点からは「当たり前」で道義的にまっとうな生をみなで送ることができる。それゆえ、事故がありうるとする方に賭ける判断が賢明である、と。

主要文献

ボードリヤール，ジャン
 1995 『消費社会の神話と構造』、今村仁司・塚原史訳、紀伊国屋書店。
ベック，ウルリッヒ；アンソニー・ギデンズ&スコット・ラッシュ
 1997 『再帰的近代化——近現代における政治、伝統、美的原理』、松尾精文・小幡正敏・叶堂隆三訳、而立書房。
ベック，ウルリッヒ&エリーザベト・ベック＝ゲルンスハイム
 2014 『愛は遠く離れて——グローバル時代の「家族」のかたち』、伊藤美登里訳、岩波書店。
ブラント，ウルリッヒ&マークス・ヴィッセン
 2021 『地球を壊す暮らし方——帝国型生活様式と新たな搾取』、中村健吾・斎藤幸平訳、岩波書店。
クリスチャン，デヴィッド；シンシア・ストークス・ブラウン&クレイグ・ベンジャミン
 2016 『ビッグヒストリー：われわれはどこから来て、どこへ行くのか——宇宙開闢から138億年の「人間」史』、石井克也・竹田純子・中川泉訳、明石書店。
藤倉　良
 2006 『環境問題の杞憂』、新潮社。
ギデンズ，アンソニー
 1993 『近代とはいかなる時代か？』、松尾精文・小幡正敏訳、而立書房。
羽田　正
 2011 『新しい世界史へ——地球市民のための構想』、岩波書店。
平賀　緑
 2021 『食べものから学ぶ世界史——人も自然も壊さない経済とは？』、岩波書店。
広井　良典
 2008 （編）『「環境と福祉」の統合——持続可能な福祉社会の実現に向けて』、有斐閣。
 2015a 『生命の政治学——福祉国家・エコロジー・生命倫理』、岩波書店。
 2015b 『ポスト資本主義——科学・人間・社会の未来』、岩波書店。
 2019 『人口減少社会のデザイン』、東洋経済新報社。
池谷　和信（編）
 2003 『地球環境問題の人類学——自然資源へのヒューマンインパクト』、世界思想社。
イェンセン，キャスパー・ブルーン
 2017 「地球を考える——「人新世」における新しい学問分野の連携に向けて」『現代思想』45-22: 46-57、藤田周訳、青土社。
上岡　直見
 2015 『「走る原発」エコカー——危ない水素社会』、コモンズ。

蟹江　憲史
　　2020　『SDGs（持続可能な開発目標）』、中央公論新社。
木畑　洋一
　　2014　『二〇世紀の歴史』、岩波書店。
クライン，ナオミ
　　2017　『これがすべてを変える――資本主義 vs. 気候変動（上）（下）』、幾島幸子・荒井雅子訳、岩波書店。
小林　卓也
　　2020　「人新世、気候変動、思想の終わり」『現代思想』48-1: 175-184、青土社。
小宮山　宏・武内　和彦・住　明正・花木　啓祐・三村　信夫（編）
　　2010　『サステイナビリティ学③　資源利用と循環型社会』、東京大学出版会。
　　2011　『サステイナビリティ学①　サステイナビリティ学の創生』、東京大学出版会。
間々田　孝夫
　　2005　『消費社会のゆくえ――記号消費と脱物質主義』、有斐閣。
　　2007　『第三の消費文化論――モダンでもポストモダンでもなく』、ミネルヴァ書房。
　　2016　『21世紀の消費――無謀、絶望、そして欲望』、ミネルヴァ書房。
丸山　里美（編）
　　2018　『貧困問題の新地平――もやいの相談活動の軌跡』、旬報社。
宮本　みち子
　　2012　『若者が無縁化する――仕事・福祉・コミュニティでつなぐ』、筑摩書房。
宮崎　雅人
　　2021　『地域衰退』、岩波書店。
村井　吉敬
　　2007　『エビと日本人Ⅱ――暮らしのなかのグローバル化』、岩波書店。
村松　伸・加藤　浩徳・森　宏一郎（編）
　　2016　『メガシティ1　メガシティとサステイナビリティ』、東京大学出版会。
日本第四紀学会（編）
　　2007　『地球史が語る近未来の環境』、東京大学出版会。
小澤　祥司
　　2015　『「水素社会」はなぜ問題か――究極のエネルギーの現実』、岩波書店。
パーフィット，デレク
　　2012　『理由と人格――非人格性の倫理へ』、森村進訳、勁草書房。
パスカル
　　2018　『パンセ』、前田陽一・由木康訳、中央公論新社。
斎藤　幸平
　　2019　『大洪水の前に――マルクスと惑星の物質代謝』、堀之内出版。
　　2020　『人新世の「資本論」』、集英社。

佐藤　仁
　　2019　『反転する環境国家——「持続可能性」の罠をこえて』、名古屋大学出版会。
沢野　雅樹
　　2016　『絶滅の地球誌』、講談社。
杉山　慎
　　2021　『南極の氷に何が起きているか——気候変動と氷床の科学』、中央公論新社。
瀧川　裕英
　　2019　「気候変動においてカントは動物を考慮するか」、宇佐美誠（編）『気候正義
　　　　　——地球温暖化に立ち向かう規範理論』、pp. 185-208、勁草書房。
内堀　基光・本多　俊和（編）
　　2010　『人類学研究——環境問題の文化人類学』、放送大学大学院文化科学研究科、
　　　　　日本放送出版協会。
内田　樹（編）
　　2018　『人口減少社会の未来学』、文藝春秋。
宇佐美　誠
　　2021　『気候崩壊——次世代とともに考える』、岩波書店。
宇佐美　誠・児玉　聡・井上　彰・松元　雅和（編）
　　2019　『正義論——ベーシックスからフロンティアまで』、法律文化社。
山本　紀夫
　　2008　『ジャガイモのきた道』、岩波書店。

第15章
はじまりのおわり

　あらためて、ここまでの本書の議論を簡単に振り返っておこう。
　第1章では、本書の導入として、人間とその文化をトータルに論じることが本書の主題であること、それをサブタイトルにある「人類文化学」という未完の学問の名称でさしあたり呼ぶこと、について説明した。第2章・第3章では、人間とその文化に関する研究の系譜をたどりながら、この人類文化学がおおきく分けて2つの立場から成り立つものであることを述べた。ひとつは、フーコーがいう「科学」であり、客観的で正確なデータの収集と分析を慎重に行っていこうとする学問的立場である。もうひとつは、フーコーがいう「反科学」であり、そうした客観的な科学研究の成立可能性を根本的かつ批判的に問い直そうとする学問的立場である。前者は自然科学や社会科学のおおくが依って立つ基本的な立場であり、後者は人文科学の中のいくつかの学問領域にとくに顕著にみられる立場であるが、本書では、それぞれのエッセンスを、リサーチリテラシーに関する議論（第6章～第8章）と異文化理解に関する議論（第9章～第11章）に焦点を当てて、確認してきた。そして、それらの前にヒト・文化・言語に

ついての議論（第4章・第5章）を、それらの後に現代社会の複雑性に関する議論（第12章〜第14章）を、それぞれ取り上げた。

さて、この章では、最後のトピックとして、第9章で触れた嬰児殺しを取り上げることにしたい。果たして、嬰児殺しという「異文化」はどの程度理解可能な（あるいは不可能な）ものなのだろうか。

嬰児殺しは野蛮か

過去のエスキモー／イヌイトをはじめとして、いくつかの伝統的社会には嬰児殺しという習慣があった。日本でもそうした習慣はあり、「間引き」などと呼ばれていた。現代に生きる日本人の価値観からすれば、嬰児殺しは許しがたい習慣であろう。たとえ食糧不足や貧窮の極限的状態が背景にある――また、避妊具などもない――としても、そうした習慣を受け入れ実行する人々の思いや生き方に「共感」することはできないのではないだろうか。それゆえ、第9章では、嬰児殺しを「言葉の正確な意味での異文化」の例として挙げた。人道主義的な観点からも、嬰児殺しは「人殺し」にほかならない、それが放置されているということは法や正義の欠如を意味するのではないか、といった捉え方をされるであろう。

ただ、文化相対主義の立場に立つならば、この「嬰児殺し」については、ひとつ考えなくてはいけないポイントがある。それは、嬰児殺しが「人殺し」であるという場合、この「人」が何であるかは文化によって異なる、という点である（むろん「殺し」も文化によって異なるが、それは措いておく）。

われわれの文化では、生まれた子どもは法的・社会的に「人」であり、これを殺せば「人殺し」となる。しかし、嬰児殺しを行う社会の中には、生まれたばかりの子どもはまだ「人」ではないとするところもあった。過去のエスキモー／イヌイトもそうした社会のひとつであり、命名儀礼を行ってはじめて社会的に「人」として扱われたのである。そして、嬰児殺しはこの「人」として扱われる以前の段階で行われていた。つまり、われわれの社会の基準に照らせばエスキモー／イヌイトの嬰児殺しは人殺しだが、当時の彼らの社会の基準に照らせば、それは「人」殺しにはならないので

あり、それゆえ彼らの社会の慣習法において罪とはならなかったのである。一方、エスキモー／イヌイトにとって「人」となった後の段階でもし子どもを殺せば、それは彼らの社会においても当然「人殺し」として扱われ、罪となった。すべての社会の嬰児殺しの習慣がこうした論理で説明できるわけではなく、また、こうした彼らの論理が「正しい」と主張しているのではない。ただ、彼らの社会とわれわれの社会の間にある、「人」をめぐる価値観の差異、そして法や正義のあり方の差異をみようとせず、われわれの側の価値観や法の基準を一方的に彼らに当てはめて非難することは、自文化中心主義的な思考であるといわざるをえないであろう。およそ知られているどの社会にも、たとえわれわれの社会のものとは異なるにせよ、法や罪は存在する。異文化理解の観点からすれば、まずもって重要なのは、その自他の違いを理解することであって、彼らをはじめから「野蛮である」「間違っている」と決めつける（そして自分たちをはじめから「正しい」と決めつける）べきではない。

　重要なのは、「人」として社会が扱う前の段階で仕方なく殺すということは、われわれの社会においても行われている、という点である。何であろうか？

　それは、いわゆる人工中絶である。われわれの社会の価値観では、生まれた後の子どもを殺せば罪になるが、母胎に生きている胎児をやむをえない理由があって堕胎する行為は罪にならない[13]。たしかに、嬰児殺しと人工中絶との間には見た目にはおおきな違いがある。前者は、自ら呼吸し、泣き、生きている赤ちゃんを殺すことであり、後者は、へその緒から栄養を受け取り、まだ人体が十分できていない段階——ただし、11週の段階

※13　ただし、胎児の命を奪う行為が人殺しにならないという点は、場合によっては世間一般の常識にかならずしも合致しないところがある。妊婦にたいする犯罪において、妊婦が死亡すれば殺人罪や傷害致死罪に問われる可能性が高いが、妊婦が一命をとりとめたものの胎児が死亡したという場合は、傷害罪が適用される可能性が高い。胎児は妊婦の体の一部とみなされるからである。しかし、妊婦にとって胎児はわが子つまりはひとりの人にほかならないであろう。

では手足はあり、指もできはじめており、体長は9センチメートルほどある──の存在を取り出し、死にいたらしめることである。しかし、第9章でも述べたように、問題は見た目の次元にあるのではない。目には見えない次元にある論理的・構造的な相同性を考慮すれば、両者は、やむをえず行われるという点でも、「人」以前に殺すために倫理上はともかく法的には罪にならないという点でも、おなじ行為といえる。したがって、エスキモー／イヌイトらの異文化の中にある嬰児殺しを「理解」する上では、これを自文化の中にある中絶と対比する必要がある。

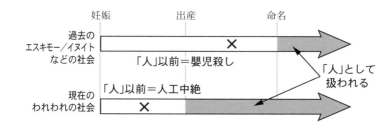

　嬰児殺しを「人殺し」とみなし、これを許せないと考えるのであれば、人工中絶にたいしてもおなじような憤りをもって断固反対するべきであろう。しかし、読者の中には、そこに躊躇を覚える方もいるのではないだろうか。日本では、中絶がいわば必要悪として認められているところがある。そして、読者の心の中にやむをえない中絶は認めてもよいという思いがあるとすれば、嬰児殺しにたいする認識も揺らいでくるのではないだろうか。このように、当初は絶対に理解できない「異文化」と思っていた嬰児殺しも、われわれの社会においてこれと対応する中絶に対比するならば、簡単には結論を出せなくなる。嬰児殺しという異文化を理解できたわけではなくても、「中絶」という自文化を理解できなくなったとしたら、この「理解できない」という感覚は、自文化の再理解が一歩進んだからであり、ひいてはそれは「異文化理解」につながっているはずである。重要なのは、このように自文化と異文化の間に立って熟考することである。自文化の基準を

異文化に安易に当てはめ、その善悪や当否を断罪すべきでない。

　ここで、「野蛮」について触れておきたい。レヴィ＝ストロースは、『人種と歴史』で次のように述べている。野蛮人とは、野蛮が存在すると信じている人のことである。自己と他者を比べ、他者の欠点を見出し、そうすることによって自己を正当化する者は、みな野蛮人である。先進国や欧米の方が、知識・教育・社会体制・技術などがより発展しより文明化しており、途上国の方がより遅れていると思う人はいるだろうが、それはさまざまな文明の交差と歴史の偶然の重なりによってたまたまそうなっただけであって、欧米や日本はそうした偶然の恩恵に浴しているにすぎないのだ、と。18世紀半ばまで、アジアはヨーロッパと同等またはそれ以上に繁栄していたのである。

　また、レヴィ＝ストロースは、次のようなエピソードを紹介している。新大陸の「発見」から数年後、大アンチル諸島では、スペイン人が原住民が魂をもっているかどうかを調べるための調査を行う一方、原住民たちが白人（スペイン人）の死体が腐敗するのかしないのかを調べるために水葬にするという光景が見られた。原住民は、長時間水につけて腐るかどうかを見極めたのであり、彼らは科学的に対処したのである。しかも、スペイン人はインディオを獣ではないかと疑ったのにたいして、インディオたちは白人を神ではないかと疑ったのである。どちらも無知にもとづいているが、どちらがより人間的かといえば、明らかにインディオたちの方であり、その点で原住民の方こそ人間と呼ぶに値する、とレヴィ＝ストロースはいう。スペイン人は、おおくの原住民を殺害し、インディオの文化を絶滅させた。レヴィ＝ストロースは、自分たち欧米人自身こそ「野蛮」ではないかと問いかけ反省することが重要だ、といっているのである。

column13　シャルリ・エブド襲撃事件

　　嬰児殺しとは別の例をここで挙げておきたい。2015年のシャルリ・エブド襲撃事件である。

『シャルリ・エブド』（Charlie Hebdo）は、政治・社会批判の風刺画で知られるフランスの週刊新聞であり、イスラームの預言者ムハンマドの風刺画を複数回掲載し、ムハンマドの漫画を出版するなどしたことから、ムスリム社会から激しい非難を受けた。2011年にはオフィスに火炎瓶が投げ込まれ全焼し、2015年1月には自動小銃を持った集団に襲撃され、12名が死亡した。この襲撃事件では、テロ組織「アラビア半島のアルカイダ」がムハンマドを侮辱したことへの復讐であるとの犯行声明を出した。

　こうした暴力は、むろん絶対に許されないことである。ただ、ここでは、あえて別のポイントを異文化理解という観点から考えてみたい。『シャルリ・エブド』の社会風刺は、表現の自由や批判の自由の尊重とともに、ライシテという国の政教分離原則をも踏まえていた。フランスでは、個人の信教の自由は保障されなければならないが、国は宗教的に中立あるいは無宗教でなければならない。『シャルリ・エブド』の風刺画は、そうしたフランス社会の原則から逸脱したものではないとみなされ、おおくの裁判でも勝訴していた。

　私は、このフランス社会の一般的な捉え方とムスリム社会の一般的な捉え方とのずれが可視化されなかったことが、事件の背景にあると考える。ムスリムにとって預言者や宗教は風刺の主題に絶対になりえないものであって、その風刺画の掲載はムスリムの信心や尊厳をひどく傷つける行為にほかならない。しかし、そうしたムスリムの心情への配慮は重視されなかった。フランス社会は自文化に埋没して他者を気遣えなかったのであり、『シャルリ・エブド』はジャーナリズムにおいて人々を分断し、対立を煽ったともいえる。しかし、事件後、そうした批判的な世論はほとんど形成されなかったようである。

　別の観点から整理しよう。『シャルリ・エブド』のスタッフは、ムハンマドの風刺画をイエスの風刺画と同列に考えていたのではないだろうか。しかし、それは比較の対象として適切ではない。むしろ、ムスリムにとって預言者や自身の宗教を侮辱されることは、フランス人にとって人権や自由や国民主権や政教分離といった社会原則がばかにされることと、比べられる方がまだ適切であるように思われる。ムスリムにとっての冒瀆感や屈辱感からはなおずれるかもしれないが、すくなくとも、アイデンティティや共同体の無二の根幹が許されざる侮辱

を受けた、ということではあったと考えられる。
　たとえば、親は自分にたいする危害よりも、子にたいする危害の方をつらいものと感じる。子の方が自分より大事だからである。かつて江戸初期の日本では、キリスト教の信教を禁じるとともに、布教した外国人宣教師に拷問を加え、棄教を迫った。その際、宣教師は、自身がイエスの絵を足で踏まないと村人が拷問を受け殺されていくという事態に耐えかねて、やむなく踏み絵を踏んだ。自分の死は厭わなかった宣教師も、人々を死にいたらしめる立場の自分を許すことはできなかったのである。
　ある人々が何をもっとも大切にしているのか、それがどれほど大事なものであるのかを、自身の価値観をこえて考えようとする想像力を、『シャルリ・エブド』やそれを支持した人々は見失っていたのではないか。われわれは、異文化を理解するための想像力や気遣いの大切さを、この襲撃事件から学ぶべきである。

はじまりのおわりに

　最後に、あらためて異文化理解という主題に関連して、3つの点を述べておきたい。
　第1点は、人間はかならず特定の価値観をもって生きている、という点である。この自文化を基盤として生きるのが人間であるという意味では、100％「自文化中心主義」から解放されることはありえない。ただ、それを悲観的に思うこともないであろう。それぞれが違った「自文化」をもっているから実りある「対話」になるのであって、たがいがまったくおなじ価値観をもっているならば、そもそも対話をする意味がなく、そこに新たな発見もない。理解の限定性は新たな理解の可能性の根拠である。むろん、それは誤解の根拠ともなるが、後者の方だけをみてただ悲観的に考えるのは、一面的であろう。
　そもそも、100％情報が正確に行き来するコミュニケーションは、人間に関してはありえない。そうしたコミュニケーション概念は機械論的発想

にもとづくものであるが、本来人間のコミュニケーションは、コミュニケーションが不完全に終わることに本質的な特徴がある。それゆえ、ふたたびコミュニケーションが開かれていくのである。別のいい方をすれば、人間というものは不完全にしか理解し合えない。だからこそ、たがいをさらに理解しようという活動が展開していくのである。仮に人間がまったくおなじ価値観や生き方をしているとすれば、たがいに「理解」し合おうとする必要はない。ただ、第1章・第4章で述べたように、幸か不幸か、人間という生き物の特徴は多様な文化をもつことにある。よくも悪くも、おおかれすくなかれ、人間の価値観はたがいに異なっている。

　第2点は、文化の恣意性と必然性についてである。第9章～第11章では、異文化に照らし、自分たちの常識の中の一面的な見方や偏見を取り上げ、「正しい」と信じ疑っていなかったものの見方を再考しようとした。しかし、社会によって文化はさまざまであるという点だけではなく、その社会に生きる人にとってはその文化が必然的であり規範的であるという点にも、十分留意する必要がある（第1章）。別の文化に生きる人から見れば「間違っている」といわれても、当の文化に生きる人々にとっては彼ら自身の価値観は「正しい」のであり、外部の視点からそれを否定したり別の文化を押し付けたりすることは彼らの尊厳を傷つけるものとなる。それぞれにとっての価値観の必然性をあらためてよく踏まえることが重要であり、それが異文化の中に生きる人々を理解することにつながる。むろん、第10章で述べたように、当の文化や彼らのやり方をただ「尊重」すればよいわけではない。場合によっては、彼らの生き方・価値観の一部を変えていくべきときもあるだろう。ただ、逆に、われわれの方が変わるべきときもあるはずである。

　いずれにしても、異文化を理解「しよう」とすることは、自文化への反省的な眼差しと表裏一体の関係にある。これが第3点である。本書の読解を通して、いつのまにか「異文化」というものにシンパシーを感じ、「自文化」に違和感を覚えるようになり、そうして読者の価値観がすこしでも変わったとすれば、本書のひとつの目的は達成されたと考える。逆に、「や

っぱり日本人でよかった」といった読後の感想をもつとすれば、それはやや残念な結果である。ただ、そうした印象が今後いつか変わる機会もあるかもしれない。また、自身の自文化中心主義を自覚し、「何が何だかわからなくなった」という感想をもつ読者もいるかもしれない。それは、理解がすこし進んだからであろう。そうして自文化と異文化との境界が流動化し、価値観の地平が変わっていくことこそ、「異文化理解」なのである。人間は、時間とともに変わっていく。そうした柔軟で外に開かれた考え方をしていくことが大切であると思う。

　最後は、異文化理解に関する再確認となったが、以上、ここまで本書では、人類文化学の出発点に当たる論点や諸事例を、できるだけ幅広く、しかし浅めに、紹介してきた。人間とその文化をトータルに学ぼうとすれば、広がりも奥行きも限りはない。また、新たな知見が今後も積み重なっていくであろう。本書は、そうした意味での人類文化学あるいは人文学の「はじまりのおわり」を画すレッスンの事例集にすぎない。

主要文献

レヴィ＝ストロース，クロード
　　1970　『人種と歴史』、荒川幾男訳、みすず書房。
水島　司
　　2010　『グローバル・ヒストリー入門』、山川出版社。
小田　亮
　　1995　「民族という物語——文化相対主義は生き残れるか」、合田濤・大塚和夫（編）
　　　　　『民族誌の現在——近代・開発・他者』、pp. 14-35、弘文堂。

索引

あ
IQ *74*
iPS 細胞 *72, 164*
アウストラロピテクス・ガルヒ *43*
アルケオロジー *17, 30, 34*
アルチュセール *83, 84*

い
ES 細胞 *72*
異文化理解 *2, 39, 48, 50, 98, 100, 103, 104, 105, 106, 109, 110, 113, 114, 115, 118, 119, 120, 121, 123, 124, 125, 136, 179, 181, 182, 184, 185, 187*
因果関係 *21, 63, 79, 80, 81, 82, 83, 84, 86, 87, 88, 91, 158*

う
埋め込み *140, 141*

え
嬰児殺し *107, 108, 180, 181, 182, 183*
エスキモー／イヌイト *106, 107, 108, 109, 165, 166, 180, 181, 182*
エネルギー基本計画 *152*
LGBTQ *134*

お
音素 *13*

か
改竄 *68, 69, 72, 74*
外傷体験 *87*
貝塚 *93, 94, 95*
科学技術社会論 *25, 37*
科学の体制化 *24, 28, 170*
科学論 *26, 33, 34, 35*
核兵器 *29, 75, 105, 106, 123, 156, 157, 159, 160*
過去の収奪 *168*
家族・結婚観 *126, 127, 128*
カネミ油症事件 *145*

き
ギデンズ *23, 26, 140, 141, 142, 145, 146, 164*
狭義の文化 *48, 103, 105, 106*
強制選択 *64, 66, 98*

く
クーン *26, 117, 139*
クラストル *57*

け
研究上の不正行為 *69*
現代思想 *28, 33, 34*

こ
広義の文化 *47, 48, 49, 50, 103,104, 105, 139*
構造的因果性 *83, 84, 86, 87, 88*
高レベル放射性廃棄物 *153, 154*
国連気候変動枠組条約 *155, 163*
互酬性 *11, 38, 108*
コミュニケーション *9, 43, 46, 54, 55, 57, 87, 185, 186*

さ
再帰性 *142, 169*
相模原障碍者施設殺傷事件 *133*
殺人率 *10, 11*
サヘラントロプス・チャデンシス *42*

し
ジェンダー *125, 126, 131, 132, 134, 135, 136*
『自殺論』 *23*
自然の終焉 *164*
思想の言語論的転回 *27*

質的研究／定性的研究 *91, 97*

ジブリ映画 *14, 157, 158*

自文化中心主義 *27, 103, 113, 119, 120, 121, 122, 123, 124, 126, 128, 129, 133, 169, 181, 185, 187*

自文化中心主義の並存 *122, 123*

自文化の再理解 *120, 121, 126, 182*

シャルリ・エブド襲撃事件 *183*

ジュウシマツ *58, 59*

集団意識 *22, 23*

集団的自衛権 *64, 65*

馴化 *44, 58, 164*

消費社会化 *169*

情報リテラシー *63, 91*

食文化 *8, 9, 10, 49, 107*

新型コロナウイルス感染症 *23*

人口ピラミッド *167, 168*

人種 *46, 74, 75, 183*

シンボル *54, 55, 56, 57, 59*

信頼のメカニズム *141*

人類文化学 *2, 7, 8, 15, 17, 33, 98, 103, 145, 179, 187*

せ

生権力 *18, 142*

生殖医療 *126, 164*

成長遅滞 *43*

性淘汰 *10, 57, 60, 61*

世界観 *9, 11, 13, 27, 104*

セクシュアリティ *18, 103, 124, 125, 126, 134, 136*

世代間正義 *170, 171*

全国学力・学習状況調査 *80*

センザンコウ *7, 14, 104*

そ

相関関係 *24, 79, 80, 82, 84, 141*

総合人類学 *25, 26*

創出環境 *164*

層序 *70, 95*

贈与 *11, 12*

ソシュール *13*

存在論的安心 *142*

た

ダーウィン *57*

ダークフィギュア *66, 67, 96*

ダイエット食品 *79, 80*

第五福竜丸事件 *156, 157, 158*

第3のジェンダー *132, 134, 135, 136*

タイラー *47*

脱埋め込み *141*

タルド *22, 128*

ち

チェルノブイリ *147, 150*

地球温暖化 *29, 164*

チョムスキー *53, 56*

て

デカルト *20, 21, 24, 27*

デュルケム *22, 23, 24, 67, 146*

と

同性愛に寛容な価値観 *128*

同性婚 *128, 130*

動物考古学 *96*

に

二次的就巣性 *43*

ニーチェ *28*

ニヒリズム *28, 34*

日本旧石器捏造事件 *69*

ね

捏造 *68, 69, 70, 71, 72, 74*

は

パスカルの賭け *172, 173*

パラダイム転換 *26*

パリ協定 *172, 173*

バリ人 *104, 110*

ハリネズミ *7, 14, 104*

反科学 *30, 33, 34, 35, 37, 38, 39, 164, 179*

反観光論 *38*

ひ

ヒト *41, 43, 44, 53, 54, 56, 58, 59, 72, 126, 174, 179*

非同一性問題 *170, 171*

剽窃／盗用 *68, 69*

ふ

フィールドワーク *35, 57, 97, 99, 100, 131*

フーコー *17, 18, 26, 28, 33, 34, 126, 142, 179*

フェミニズム *132, 134, 135*

不変な可動体 *36*

普遍文法 *53*

フロイト *21, 22, 86, 87, 88*

文化相対主義 *18, 75, 98, 103, 113, 119, 120, 121, 122, 123, 124, 136, 169, 180*

糞石 *94, 95, 96*

分類 *11, 12, 13, 14, 41, 66, 68, 74, 125*

へ

ベルダシュ *136*

ほ

ボアズ *75*

ホモ属 *41, 42, 43, 54*

ま

マルクス *46, 49, 84, 135, 164*

み

ミード *131, 132,*

水俣学 *142, 145, 147*

未来の収奪 *169, 174*

民族誌／エスノグラフィー *91, 97, 98, 131, 132*

む

無意識 *21, 27, 87*

も

モース *11*

や

野蛮人 *183*

山口昌男 *13*

よ

予言の自己成就 *146*

ら

ラトゥール *35, 36, 37, 98*

り

リーチ *12, 13*

量的研究／定量的研究 *91, 97, 98*

る

ルイセンコ事件 *73*

れ

レヴィ＝ストロース *12, 15, 183*

連続児童殺傷事件 *84*

ろ

ロマ *14, 75*

著者略歴

吉田 竹也（よしだ・たけや）

1963年、三重県四日市市生まれ。
1994年、南山大学大学院文学研究科文化人類学専攻博士後期課程満期退学。
2008年、博士（人間科学、大阪大学）。
現在、南山大学人文学部人類文化学科教授。

おもな著書
『文化人類学を再考する』（共著、青弓社、2001年）
『バリ宗教と人類学 ──解釈学的認識の冒険』（単著、風媒社、2005年）
『反楽園観光論 ──バリと沖縄の島嶼をめぐるメモワール──』（単著、樹林舎、2013年）
『地上の楽園の観光と宗教の合理化──バリそして沖縄の100年の歴史を振り返る』（単著、樹林舎、2020年）
『神の島楽園バリ ──文化人類学ケースブック』（単著、樹林舎、2021年）
など。

人間・異文化・現代社会の探究 第2版
人類文化学ケースブック

2018年4月18日　初 版　1刷発行
2022年4月21日　第2版　1刷発行

著　　者　吉田竹也

発　　行　樹林舎
　　　　　〒468-0052　名古屋市天白区井口1-1504-102
　　　　　TEL:052-801-3144　FAX:052-801-3148
　　　　　http://www.jurinsha.com/

発　　売　株式会社人間社
　　　　　〒464-0850　名古屋市千種区今池1-6-13　今池スタービル2F
　　　　　TEL:052-731-2121　FAX:052-731-2122
　　　　　e-mail:mhh02073@nifty.com

印刷製本　モリモト印刷株式会社

©YOSHIDA Takeya 2022, Printed in Japan
ISBN 978-4-908627-75-0
＊定価は表紙に表示してあります。
＊乱丁・落丁本はお取り替えいたします。